# HENRI VAGNON - PIERRE WADOUX

# CODE VAGNON

# DE LA MER

## Volume 1
## PERMIS CÔTIER

## 27e édition 1995

Édition conforme aux décrets N° 92-1166 du 21 octobre 1992 et 94-411 du 17 mai 1994
et aux arrêtés des 23 décembre 199

LES ÉDITIONS DU PLAISANCIER
B.P. 27 - 69641 CALUIRE CEDEX
Tél. 78 23 31 14 – Fax 78 23 48 16

2

Code Vagnon de la mer – 27e édition 1995 – Volume 1 : Permis côtier
Conception générale : Henri Vagnon
Textes : Henri Vagnon et Pierre Wadoux
Photos : H. Vagnon – J. Legou – J. Carpentier – L. Bardin – G. Salomon – G. Ledoub
M. Dumesnil – M. Ecarlat – Janin – Th. Lebigot – P. Chevrolat – J. Morlot – Plastimo
Aide-mémoire conçu par A. Nemeta.
Nos remerciements à MM. Roualec, Lalitte, Laurent et Hozette, Groupe Defim.

Toute représentation ou reproduction intégrale ou partielle, faite sans le consentement de l'auteur ou ses ayants droit ou ayants cause, est illicite (loi du 11 mars 1957, article 40). Cette représentation ou reproduction (notamment par photocopie, sous réserve de l'article 41 de la même loi) constituerait une contrefaçon sanctionnée par les articles 425 et suivants du Code Pénal.

ISBN 2-85725-123-0          © 1995 Vagnon - LES EDITIONS DU PLAISANCIER *

# SOMMAIRE

Attention ! Le plan de cette 27ᵉ édition a été légèrement modifié par rapport aux éditions précédentes, pour permettre une approche encore plus pédagogique du programme.

# Chapitre préliminaire

# le permis de conduire en mer les navires de plaisance à moteur

Depuis le 1er janvier 1993 et après des modifications intervenues en 1994, nul ne peut conduire en mer un navire de plaisance à moteur s'il n'est titulaire d'un des titres suivants :

— **la carte mer** pour une navigation accomplie **de jour**, à moins de 5 milles d'un abri et à bord d'un navire dont la puissance motrice est supérieure à 6 CV (4,5 kilowatts) et inférieure ou égale à 50 CV (37 kilowatts) ;

— **le permis mer**, composé en réalité de deux permis :

    a) **le permis côtier**, pour toute navigation de jour comme de nuit, mais dans la limite de 5 milles d'un abri [1]. C'est pratiquement l'ancien permis A qui était en vigueur avant 1993 ;

    b) **le permis hauturier**, pour toute navigation de jour comme de nuit, sans limitation de distance.

Deux mentions, l'une pour la conduite des navires surmotorisés, l'autre pour la conduite des aéroglisseurs peuvent être portées sur ces titres. Voir pages 8 et 130.

Précisons que pour passer l'examen du permis mer, il n'est pas nécessaire d'être préalablement titulaire de la carte mer. Les deux titres sont totalement différents.

Le présent volume du code prépare exclusivement au **permis côtier**. Le candidat qui voudra obtenir ensuite le permis hauturier n'aura à passer qu'une épreuve de navigation qui se prépare avec le second volume du code. Celui qui ne désire passer que la carte mer préparera son examen avec un ouvrage spécial intitulé *Vagnon Carte mer*.

**L'ÂGE MINIMUM** requis pour l'obtention du permis mer est de 16 ans.

## DISPENSES, EXEMPTIONS, AMÉNAGEMENTS

**SONT DISPENSÉS DE PERMIS :**

— les titulaires des anciens permis A, B et C qui conservent les prérogatives attachées à ces permis ;

— les barreurs des navires de plaisance à voile (même équipés d'un moteur auxiliaire à la condition que le voilier satisfasse à la formule donnée page 10 du code mais c'est le cas de presque tous les voiliers) ;

— les pilotes des navires de plaisance munis d'un moteur d'une puissance inférieure ou égale à 6 CV (4,5 kilowatts).

---

(1) Sont considérés comme abris les ports ou plans d'eau où le navire peut facilement trouver refuge et où les personnes embarquées peuvent être mises en sécurité.

**SONT EXEMPTÉS** (partiellement ou en totalité) de l'examen du permis les personnes exerçant une fonction ou possédant une certaine qualification, comme les personnels de la Marine Nationale ou de la Marine Marchande (les anciens officiers de marine, par exemple). La liste en est donnée en annexe, page 134. Ils obtiennent le permis par équivalence, sans examen.

**LES ÉTRANGERS** pilotant un navire de plaisance français à moteur doivent posséder le permis mer (ou la carte mer, selon la navigation qu'ils pratiquent) ou un titre reconnu équivalent par arrêté ministériel.
S'ils pilotent un navire étranger, ils ne sont pas astreints à la possession du permis mer mais des interdictions de naviguer en France peuvent être édictées à leur encontre en cas d'inobservation de la réglementation, de négligence ou d'imprudence grave ou de conduite en état d'ébriété.

**LA CONDUITE ACCOMPAGNÉE** est prévue pour des personnes d'au moins 16 ans qui peuvent conduire un navire sans titre, à la condition d'être accompagnées d'une personne titulaire depuis au moins trois ans d'un titre de conduite des navires de plaisance, dans les limites du titre détenu.
Cette conduite accompagnée doit être précédée d'une déclaration au chef de quartier des Affaires Maritimes compétent. Cette déclaration, valable un an, n'est pas renouvelable. Un signe distinctif doit être apposé sur le navire.
Il en ressort qu'en dehors de ce cas précis de la conduite accompagnée **tout pilote se trouvant à la barre d'un navire de plaisance tombant dans le champ d'application du permis mer doit être personnellement titulaire du permis.**

**LES PERMIS A. B. et C** délivrés selon la réglementation antérieure conservent leurs prérogatives.
Les titulaires du permis A peuvent donc continuer à naviguer, de jour comme de nuit, jusqu'à 5 milles de la côte.
Ils pourront obtenir le permis hauturier en passant avec succès une épreuve dite de « navigation », sur la carte marine et la marée.
Le programme de cette épreuve est contenu dans le second volume du Code Vagnon de la mer « Permis hauturier ».
Quant aux détenteurs du permis B, ils peuvent désormais piloter les navires d'une jauge égale ou supérieure à 25 tonneaux.

# CONSTITUTION DU DOSSIER

- Une demande d'inscription (modèle en annexe, page 169). Préciser que c'est le permis côtier qui est demandé ;
- Une photographie d'identité ;
- Deux timbres fiscaux, l'un pour le droit d'inscription, l'autre pour le droit de délivrance (se renseigner de leur montant du moment auprès du centre d'examen ou de votre bateau-école. En 1994, ils étaient respectivement de 200 F et 300 F).
- Une fiche d'état civil ou une photocopie d'une pièce d'identité ;
- Un certificat médical de moins de six mois (modèle en annexe, page 171).

**PROCÉDURE POUR PASSER LE PERMIS** — La plus simple et la plus efficace est de s'inscrire à un bateau-école de votre ville ou de votre région. Il se chargera des formalités, de votre préparation, tant théorique que pratique, et de votre présentation à l'examen. Il pourra également vous fournir les ouvrages complémentaires qui faciliteront votre préparation : *Feux des navires et Règles de barre* et *Tests Vagnon* (recueil d'exercices). Il utilisera avec efficacité les séries de diapositives et les cassettes vidéo éditées par les Éditions du Plaisancier pour la préparation au permis.

Le candidat qui désirerait passer en candidat libre s'adressera au quartier d'Affaires Maritimes de sa région s'il habite sur le littoral (la liste des quartiers d'Affaires Maritimes est donnée page 9). S'il habite à l'intérieur du territoire, il pourra obtenir l'adresse du centre d'examen le plus proche de son domicile en la demandant au ministère des Transports, Bureau de la Plaisance, 3, place Fontenoy, 75700 Paris, tél. 44.49.80.00. C'est à ce centre d'examen qu'il adressera son dossier.

A noter que le candidat libre devra fournir le bateau sur lequel il passera l'épreuve pratique. Le candidat présenté par un bateau-école passe cette épreuve sur l'embarcation de l'école.

## PROGRAMME DE L'EXAMEN

L'examen comporte :
— une épreuve théorique, avec un questionnaire Q.C.M. (questionnaire à choix multiple),
— une épreuve pratique, sur l'eau.

## PROGRAMME DE L'ÉPREUVE THÉORIQUE GÉNÉRALE PAR Q.C.M.

Ce programme comprend :
— le balisage des côtes, le balisage des plages, les pictogrammes ;
— les règles de barre et de route ;
— les signaux : les signaux phoniques de manœuvre et d'avertissement ; les signaux phoniques par visibilité réduite ; les signaux de détresse ; les signaux régissant le trafic portuaire ; les signaux météorologiques ;
— les feux et marques des navires ;
— les règles de navigation et de sécurité : les catégories de navigation des navires de plaisance ; la procédure d'approbation des navires de plaisance ; les limitations de la navigation (zones interdites, limitations de vitesse, signalisation des plongeurs sous-marins et distance de sécurité) ; la conduite en visibilité restreinte ; le matériel d'armement et de sécurité des navires de plaisance ainsi que les pièces administratives à posséder à bord ; l'organisation du sauvetage en mer ; les règles de la pratique du ski nautique ; la responsabilité du chef de bord.

Le programme de cette épreuve théorique est étudié aux chapitres 1 à 5 de ce code.
Le chapitre 6 donne des exemples des questions posées selon le système Q.C.M.

## PROGRAMME DE L'ÉPREUVE PRATIQUE

Le candidat doit pouvoir effectuer les manœuvres suivantes :
— mettre une brassière de sauvetage ;
— mettre en marche le moteur, appareiller ;
— manœuvrer sur un parcours en forme de 8 à différentes vitesses, dont la vitesse maximale compatible avec le lieu, en virant à bâbord ou à tribord quand l'exécution du parcours le demande ;

- casser son erre en utilisant la marche arrière en cours de parcours ;
- manœuvrer pour récupérer un homme à la mer ;
- procéder à une prise de coffre ou de bouée ;
- suivre un cap ;
- suivre un alignement par l'avant et par l'arrière ;
- simuler l'emploi d'une fusée ou d'un feu automatique ;
- simuler l'emploi d'un extincteur ;
- situer 3 éléments mécaniques importants : niveaux, coupe-batterie, courroie d'alternateur, sortie d'eau, vanne de coque, bougie, injecteur... ;
- accoster ;
- amarrer le navire.

e programme de l'épreuve pratique est étudié au chapitre 8 de ce code, page 116.

# DÉROULEMENT DE L'EXAMEN

Le centre d'examen (ou le bateau-école) informe le candidat de la date et du lieu e l'examen.

**ES EXAMINATEURS** sont choisis parmi les fonctionnaires qualifiés des ffaires Maritimes ou parmi des personnes possédant des compétences théoriques t pratiques en matière de navigation.

## 'ÉPREUVE THÉORIQUE GÉNÉRALE
L'examen commence par l'épreuve théorique générale.
Celle-ci se passe à l'aide d'un questionnaire Q.C.M. Celui-ci comporte 20 ques-ons et le candidat n'a pas droit à plus de 3 erreurs. L'épreuve dure 15 minutes.
L'épreuve théorique peut, à titre exceptionnel, être orale sur décision de l'autorité ssponsable de l'organisation de l'examen.

## 'ÉPREUVE PRATIQUE
(À noter que la possession d'un titre de conduite en eaux intérieures ne dispense as du passage de l'épreuve pratique).
À l'épreuve pratique ne peuvent se présenter que les candidats ayant réussi épreuve théorique par Q.C.M.
L'épreuve pratique doit se dérouler obligatoirement sur un bateau d'un type pprouvé au moins en 5e catégorie, avoir l'armement correspondant, jauger plus de tonneaux de jauge brute et être équipé d'un moteur de plus de 37 kilowatts 0 CV).
Il doit être doté d'un système de commandes à distance, équipé d'un système de rotection continue et efficace contre la chute à l'eau des personnes embarquées 'une hauteur d'au moins 60 cm mesurée du fond du cockpit à la partie supérieure e la protection. Il doit être muni d'un dispositif de protection contre les intem-éries.
La durée de l'épreuve pratique doit être de l'ordre de 15 minutes.
A l'issue de l'épreuve pratique, le candidat est soit reçu, soit ajourné.

**N PERMIS PROVISOIRE** est délivré par l'examinateur, à l'issue de l'épreuve ratique, au candidat qui a réussi celle-ci. Il est valable deux mois.

**EN CAS D'ÉCHEC** à l'épreuve pratique, le candidat conserve le bénéfice de l'épreuve théorique réussie pendant une période de six mois. Il n'aura donc à repasser, pendant cette période, que l'épreuve pratique.

## DÉLIVRANCE DU PERMIS

Les chefs de quartier des Affaires Maritimes délivrent le permis aux candidats qui ont subi l'examen dans leur circonscription (sur le littoral). Les services du ministère chargé de la mer le délivrent aux candidats qui ont subi l'examen à Paris et dans l'intérieur du territoire.

# DIVERS

## MENTIONS « SURMOTORISATION » ET « AÉROGLISSEUR »

Une mention « surmotorisation » doit être portée sur le permis mer pour la conduite des navires dont le coefficient de motorisation est supérieur à une certaine valeur. Ce coefficient est fonction de trois paramètres : la puissance, la longueur et la jauge brute.

Une mention « aéroglisseur » doit être portée sur le permis pour la conduite de aéroglisseurs de plaisance.

L'obtention de ces mentions est subordonnée à une épreuve pratique supplémentaire passée selon des normes fixées par la Fédération Française Motonautique.

Voir page 130.

Voir page 130.

## RETRAIT DU PERMIS

Les permis (y compris les anciens permis A, B et C) peuvent être retirés temporairement ou définitivement en cas d'inobservation des règlements de police, de négligence ou d'imprudence grave ou en cas de conduite en état d'ébriété.

Le retrait temporaire est d'une durée maximum de trois mois.

La personne qui a fait l'objet d'un retrait définitif ne peut solliciter un nouveau permis qu'à l'expiration d'un délai de trois ans à compter de ce retrait.

## DISPOSITIONS PÉNALES

Des amendes sont prévues pour les cas suivants :

— Non présentation immédiate du permis (et des autres pièces administratives) (contravention de 1ère classe, amende de 30 à 250 F) ;

— Non présentation dans un délai de cinq jours du permis et autres pièces (contravention de 4e classe, amende de 1 300 à 3 000 F) ;

— Toute violation des textes applicables au permis ou conduite en dépit d'une interdiction temporaire ou définitive (contravention de 5e classe, amende de 3 000 6 000 F).

# QUARTIERS DES AFFAIRES MARITIMES

## MANCHE

| Code Postal | Adresse | Téléphone |
|---|---|---|
| 9140 DUNKERQUE Cedex 1 | 22, rue des Fusiliers marins, BP 6356 | 28.66.56.14 |
| 2321 BOULOGNE | 92, quai Gambetta | 21.30.53.23 |
| 5203 DIEPPE Cedex | 24, quai du Carénage, BP 224 | 35.06.96.70 |
| 5400 FÉCAMP | 15, rue Gustave-Lambert, BP 125 | 35.28.16.35 |
| 5083 LE HAVRE Cedex | 4, rue du Colonel-Fabien | 35.22.41.03 |
| 5723 ROUEN Cedex | 98, avenue du Mont-Riboudet, B.P. 4184 | 35.98.53.98 |
| 4017 CAEN Cedex | 17, rue de la Miséricorde, BP 3044 | 31.85.40.55 |
| 0107 CHERBOURG | quai de l'Ancien Arsenal, BP 721 | 33.44.00.13 |
| 5406 SAINT-MALO Cedex | 27, quai Duguay-Trouin, BP 70 | 99.56.87.00 |
| 2022 SAINT-BRIEUC Cedex | 19, rue Chateaubriand, BP 2239 | 96.61.22.61 |
| 2500 PAIMPOL | Rue du Docteur-Montjaret, B.P. 94 | 96.20.84.30 |
| 9600 MORLAIX | 11, quai de Tréguier | 98.62.10.47 |

## ATLANTIQUE

| Code Postal | Adresse | Téléphone |
|---|---|---|
| 9279 BREST Cedex | 6, rue Saint-Saëns | 98.80.62.25 |
| 9177 DOUARNENEZ Cedex | 46, rue Henri-Barbusse | 98.92.00.91 |
| 9770 AUDIERNE | 1, rue Lamartine, BP 55 | 98.70.03.33 |
| 9730 LE GUILVINEC | 37, rue de la Marine, BP 19 | 98.58.13.13 |
| 9182 CONCARNEAU Cedex | 4, rue Lucien-Hascoët, BP 237 | 98.97.53.45 |
| 6321 LORIENT Cedex | 88, avenue de la Perrière, BP 2143 | 97.37.16.22 |
| 5406 AURAY Cedex | 18, rue Abbé Joseph-Martin | 97.24.01.43 |
| 5019 VANNES | 15, rue de Kerozen, BP 519 | 97.63.40.95 |
| 4616 SAINT-NAZAIRE | 9, boulevard de Verdun, BP 424 | 40.22.46.32 |
| 4049 NANTES Cedex 04 | 22 bis, avenue de Launay | 40.73.18.70 |
| 5330 NOIRMOUTIER | 7, avenue de la Victoire | 51.39.01.64 |
| 5350 YEU (ILE D') | Port Joinville, quai de la Mairie | 51.58.35.39 |
| 5119 LES SABLES D'OLONNE | Rue Colbert, BP 371 | 51.21.81.81 |
| 7021 LA ROCHELLE Cedex 01 | Rue du Bastion Saint-Nicolas, Q. de Marans | 46.68.67.66 |
| 7320 MARENNES | 3, rue Maréchal-Foch | 46.85.14.33 |
| 3074 BORDEAUX Cedex | 1, rue Fondaudège | 57.81.12.69 |
| 3311 ARCACHON Cedex | 194, boulevard de la Plage | 57.52.57.00 |
| 6102 BAYONNE | Quai de Lesseps, BP 724 | 59.55.06.68 |

## MÉDITERRANÉE

| Code Postal | Adresse | Téléphone |
|---|---|---|
| 6660 PORT-VENDRES | 1, rue des Paquebots | 68.82.11.46 |
| 3207 SÈTE Cedex | 16, rue Hoche, BP 472 | 67.46.33.00 |
| 3697 MARTIGUES Cedex | 18, quai Paul-Doumer | 42.80.35.38 |
| 3236 MARSEILLE Cedex 2 | 23, rue des Phocéens | 91.39.69.05 |
| 3054 TOULON Cedex | 244, avenue de l'Infanterie de Marine, BP 563 | 94.46.92.00 |
| 6303 NICE Cedex 4 | 22, quai Lunel, BP 139 | 93.55.36.50 |
| 2176 AJACCIO | 4, boulevard du Roi-Jérôme, BP 312 | 95.51.75.10 |
| 2289 BASTIA | Quai Nord du Vieux-Port | 95.31.62.24 et 95.31.67.08 |

## OUTRE-MER

| Code Postal | Adresse | Téléphone |
|---|---|---|
| 7261 FORT-DE-FRANCE | Bd Chevalier de Sainte-Marthe, BP 620 | 71.90.05 |
| 9164 POINTE-A-PITRE | Quai Layrle, BP 473 | 82.03.13 |
| 9305 CAYENNE Cedex | 2 bis, rue Mentel, BP 6008 | 31.00.08 |
| 9487 SAINT-DENIS Cedex | 11, rue de la Compagnie des Indes, BP 313 | 21.06.39 |
| 9500 ST-PIERRE et MIQUELON | Rue Gloannec, BP 1205 | 41.44.24 |
| NOUMEA | BP 36 | 27.26.26 et 28.17.09 |
| PAPEETE | Motu-Uta, BP 495 | 2.02.52 |

9

## VOILIERS : PERMIS OU PAS PERMIS ?

L'obligation du permis (ou de la carte mer) ne concerne pas les navires à voile. Quand le navire à voile est équipé d'un moteur, pour savoir s'il reste considéré comme voilier (donc sans permis), il convient d'appliquer désormais la même formule que celle utilisée en matière de sécurité (circulaire du 12 février 1993).

Si on considère que :
« S » est la surface totale de la voilure, en mètres-carrés ;
« L » la longueur de la coque, en mètres ;
« D » le déplacement lège et réservoirs vides, en tonnes ;
« P » la puissance totale du ou des moteurs, en kilowatts,

un navire est considéré comme voilier si le quotient $\dfrac{S}{\sqrt{LD}}$ est égal ou supérieur à 5,5 et si le quotient $\dfrac{P \times 1,36}{D}$ est inférieur à 9.

# AVANT D'ÉTUDIER CE CODE
# APPRENEZ LES TERMES INDISPENSABLES

**Abattre**  Mouvement du bateau l'éloignant du lit du vent. Se dit généralement quand un navire opère un virage sur la droite ou la gauche.

**Alignement**  Ligne déterminée par 2 phares ou 2 amers (voir ce mot). On est sur leur alignement quand on les voit l'un par l'autre.

**Amer**  Repère caractéristique sur la côte (ex.: clocher, tour, bâtiment isolé).

**Bâbord**  (Abréviation : Bd) Tout ce qui est à gauche du navire quand on regarde vers l'avant de celui-ci (à droite, c'est tribord). On peut associer ces deux termes au mot « batterie » : BAbord est à gauche, TRIbord à droite (BA-TRI).

**Balise**  Signal de balisage fixe. Peut être une tourelle maçonnée, un espar, etc...

**Bouée (de balisage)**  Signal de balisage flottant, relié au fond par une chaîne.

**Cap**  Angle que fait l'axe longitudinal du navire avec un repère de référence tel le Nord magnétique, le méridien sur la carte ou le zéro du compas.

**Chenal**  Le passage le plus profond (entre des îles ou dans un estuaire, par exemple) que doivent suivre en conséquence les navires.

**Compas**  Équivalent dans son principe à la boussole, il sert à indiquer la direction du Nord. Il comporte une aiguille aimantée solidaire d'une rose graduée (la rose des vents) portant les 4 points cardinaux.

**Degré**  La 360ᵉ partie d'une circonférence. Son angle au centre de la circonférence est d'un degré.

**Dérive**  Action du vent ou du courant qui écarte le navire de son cap. Elle est tribord ou bâbord suivant que le navire se déporte sur la droite ou sur la gauche.

**Erre**  Vitesse par rapport à l'eau conservée par un navire.

**Espar**  Signal de balisage fixe. Peut être une perche, un mât fixés directement sur les fonds.

**Étale**  Moment où la mer ne monte plus ou ne descend plus.

**Éviter**  L'évitage est l'espace balayé par un navire qui tourne sur place, sur son ancre par exemple.

**Gisement**  C'est l'angle de la direction d'un point (phare, clocher, etc...) avec la direction (cap) d'un navire. Il se mesure en degrés.

**Laisse**  Limite de l'eau sur le rivage.

**Ligne de foi**  Repère placé sur la cuvette du compas et matérialisant l'axe longitudinal du navire.

**Marque (de balisage)**  Terme couvrant tous les signaux de balisage (balises, espars, bouées, etc...).

**Mille**  Le mille marin (ou mille nautique) vaut 1852 mètres. Ne pas confondre avec le « mile », unité de mesure anglaise, qui vaut 1609 mètres.

**Morte eau**  Lorsque la marée est faible et que la mer monte ou descend avec une faible amplitude.

**Mouillé**  Un navire est mouillé quand il est retenu immobilisé par son ancre.

**Nœud**  Unité de vitesse, équivalant à un mille à l'heure. Un navire qui marche 12 nœuds parcourt 12 milles en une heure. (Dire : « 12 nœuds » mais pas « 12 nœuds à l'heure » !)

**Parer (un danger)** L'éviter, en s'en écartant.

**Poupe**  Arrière d'un navire.

**Proue**  Avant d'un navire.

**Quadrant**  Autour d'un point déterminé, la circonférence est divisée en 4 quadrants : Nord, Est, Sud et Ouest (Voir le croquis de la page 21). Le balisage cardinal d'un obstacle par exemple (récif, rocher) est différent selon le quadrant dans lequel on placerait ce balisage.

**Quart**  Division du compas par 32, égale à 11°15' (11° 25 centièmes, soit 11 degrés 15 minutes d'arc). Unité utilisée pour les secteurs de feux. (C'est aussi une période de veille de 4 heures).

**Relèvement**  Angle formé par la direction d'un point (phare, clocher, autre navire) avec la direction du Nord. Le relèvement vrai se détermine par rapport à la direction du Nord géographique (celui de la carte).

**Route**  Angle compris entre la direction suivie par le navire et une direction du Nord. La route peut être au compas, vraie, sur le fond.

**Route (faire –)**  Un navire fait route lorsqu'il n'est ni à l'ancre, ni amarré à terre, ni échoué.

**Secteur (de feu)** Arc d'horizon de visibilité d'un feu de navire, exprimé en degrés.

**Tonneau**  Unité de volume valant 2,83 m³, utilisée pour la jauge des navires.

**Travers**  Direction perpendiculaire à l'axe longitudinal du navire (voir le croquis de la page 59).

**Tribord**  (Abréviation : Td) Tout ce qui est à droite du navire quand on regarde vers l'avant de celui-ci. (Voir à « Bâbord » le moyen mnémotechnique de s'en souvenir par la formule BA-TRI (batterie).

**Vive eau**  Lorsque la marée est forte et que la montée et la baissée de l'eau sont de forte amplitude.

**Voyant**  Marque géométrique distinctive utilisée pour l'identification d'une marque de balisage (et aussi pour la signalisation de jour sur les navires et dans les ports).

# 1

# BALISAGE
# DES CÔTES DE FRANCE

H. VAGNON

Le balisage a pour but de signaler au navigateur les dangers qui pourraient lui être invisibles parce que la mer les recouvre, et les limites du chenal.

Lorsque les marques de balisage sont fixes, ce sont des espars (mâts ou perches fixés directement sur les fonds), des tourelles maçonnées sur la roche, des supports de feu (maçonnerie ou charpentes métalliques) édifiés sur les ouvrages portuaires, jetées, musoirs...

Lorsque la hauteur d'eau nécessite des **marques flottantes**, ce sont les bouées, flotteurs reliés par une chaîne à un ouvrage sur les fonds. Pour les petites bouées en général, la partie visible du flotteur aura la forme prescrite ; dans les autres cas le flotteur supportera une charpente métallique qui sera surmontée du voyant et du feu éventuel.

Le terme « marque » désigne tout ce qui sert pour effectuer le balisage : bouées, espars, tourelles. On dit également que ce sont des balises.

Toute marque pour laquelle on ne prescrit pas une forme particulière (conique, cylindrique, sphérique) ou dont le flotteur ne respectera pas cette forme, devra obligatoirement porter un voyant — cône(s), cylindre, sphère, croix. Ce voyant et la couleur (qui peut être altérée par la rouille ou indiscernable à contre-jour) sont les seuls moyens pour reconnaître une marque de balisage.

## BALISAGE DE L'A.I.S.M. ET BALISAGE DES PLAGES

Tout ce qui vient d'être dit concerne le balisage international (balisage de l'A.I.S.M., Association Internationale de Signalisation Maritime) sur lequel de nombreuses questions sont posées à l'examen du permis et qui sera traité de la page 14 à la page 27 de ce code.

Mais le programme de l'examen comporte aussi le balisage des plages. Celui-ci est donné à la page 28. Vous trouverez également, à la page 29, d'autres marques, ne ressortissant pas au balisage de l'A.I.S.M.

PROTECTION DU BALISAGE. – L'importance du balisage n'échappera à personne et le plaisancier ne sera pas surpris d'apprendre qu'il est interdit, non seulement de détruire un feu flottant, une balise ou une bouée, mais aussi de s'amarrer à eux ou de jeter l'ancre à proximité. En outre, tout dégât causé à un de ces engins, même accidentellement, doit être déclaré dans les vingt-quatre heures aux autorités maritimes.

# BALISAGE DE L'A.I.S.M.

Le système de balisage de l'Association Internationale de Signalisation Maritim(e) (A.I.S.M.) découpe le monde en deux régions, A et B. La France métropolitaine, Réunion, la Nouvelle-Calédonie et la Polynésie sont dans la région A ; l'Amériqu(e) avec les Antilles, la Guyane et Saint-Pierre-et-Miquelon, dans la région B. La diff(é) rence réside uniquement dans l'emploi des marques latérales dont les couleurs so(nt) inversées.

Dans la présente édition du code les marques latérales décrites sont celles de(la) Région A. Les codes destinés aux Antilles et à la Guyane sont équipés d'un suppl(é) ment « Balisage Région B ».

**CHAMP D'APPLICATION.** — Le balisage de l'A.I.S.M. s'applique (à l'exception d(es) phares, feux à secteurs, feux et marques d'alignements, bateaux-feux et bouée(s) géantes) à toutes les marques fixes et flottantes servant à indiquer :

1. les limites latérales des chenaux navigables,
2. les dangers naturels et autres obstructions telles que les épaves,
3. les autres zones ou configurations importantes pour le navigateur,
4. les dangers nouveaux.

**LES TYPES DE MARQUES.** — Ce système comprend 5 types de marques que no(us) donnons ci-après dans un ordre logique pour faciliter l'instruction des candidats :

1. **Les marques latérales** indiquant les côtés bâbord et tribord de la route(à) suivre. Il en est ainsi dans un chenal où le navire doit passer entre des bouée(s) ou des balises bâbord ou tribord, de formes et de couleurs différentes (voir l(es) croquis de la page suivante), dans un estuaire, dans un fleuve, etc. Les marqu(es) sont à laisser d'un bord ou de l'autre.

2. **Les marques d'eaux saines :** les eaux sont saines tout autour d'elles (on n(e) trouve autour d'elles aucun obstacle pouvant présenter un danger pour la nav(i) gation).

3. **Les marques spéciales** indiquant une zone ou une configuration mentionné(e) dans les documents nautiques. Ce ne sont pas des marques qui aident à la nav(i) gation mais qui signalent l'existence de zones interdites ou réservées et diver(s) obstacles dont le navigateur doit être informé. On les trouve forcément à prox(i) mité immédiate de la côte.

4. **Les marques de danger isolé** signalant des dangers isolés d'étendue limité(e) autour desquels les eaux sont saines. On les trouve également dans des zone(s) assez proches de la côte.

5. **Les marques cardinales** indiquent la direction d'un danger et, par voie d(e) conséquence, la zone où le navire peut trouver des eaux saines pour éviter c(e) danger. Leur emploi est associé à celui du compas du navire. Les marques car() dinales indiquent une des 4 principales orientations cardinales tracées à parti(r) du danger par des couleurs et des voyants diversement disposés. On trouve de(s) marques cardinales assez près de la côte.

## DÉTERMINATION DES MARQUES

La signification de la marque est déterminée :
- le jour, par sa couleur, sa forme, son voyant ;
- la nuit, par la couleur et le rythme de son feu ;
- ou par l'un au moins de ces caractères.

**LES FEUX** — Les marques de balisage peuvent être équipées de feux.

Un feu est <u>à éclats</u> quand sa durée de lumière est plus courte que sa durée d'obscurité.

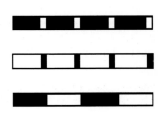

Il est <u>à occultations</u> quand sa durée d'obscurité est plus courte que sa durée de lumière.

Il est <u>isophase</u> quand les durées de lumière et d'obscurité sont égales.

Un feu scintillant comporte 50 à 80 scintillements par minute.

## MARQUES LATÉRALES

**LE SENS CONVENTIONNEL.** — Le balisage latéral se définit en fonction du sens conventionnel.

Qu'appelle-t-on sens conventionnel ?

- C'est le sens général que suit le navire venant de la haute mer lorsqu'il s'approche d'un port, d'une rivière, d'un estuaire ou d'une autre voie d'eau ;

- ou c'est un sens défini par les autorités responsables. Mais il convient en principe que le sens suive les contours des continents dans le sens des aiguilles d'une montre. Ce sens doit être indiqué dans les documents nautiques appropriés.

Dans la pratique, il ne convient de retenir que la première définition : sens général en venant de la haute mer.

Les **marques tribord** seront celles qui sont à main droite de ce navigateur et les **marques bâbord** celles qui sont à main gauche, lorsqu'il regarde l'avant de son navire (voir pages 11 et 12).

Bien entendu, lorsque nous **sortirons** du port, c'est-à-dire lorsque nous suivrons un sens inverse au sens conventionnel, les marques tribord seront à main gauche et les marques bâbord à main droite. Il suffit de regarder le croquis ci-dessus (où le sens conventionnel est représenté par la flèche jaune) pour bien s'en rendre compte.

# DESCRIPTION DES MARQUES LATÉRALES

**Les marques bâbord** (que le navigateur laisse à bâbord en suivant le sens conventionnel) ont les caractéristiques suivantes :
— Couleur : rouge.
— Forme de la bouée : cylindrique, charpente ou espar.
— Voyant (le cas échéant) : un cylindre rouge.
— Feu (le cas échéant) : rouge, de rythme quelconque autre que celui des marques de chenal préféré (voir page suivante).

Marques latérales bâbord

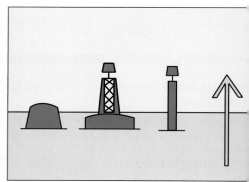

**Les marques tribord** (que le navigateur laisse à tribord en suivant le sens conventionnel) ont les caractéristiques suivantes :
— Couleur : verte.
— Forme de la bouée : conique, charpente ou espar.
— Voyant (le cas échéant) : un cône vert, pointe en haut.
— Feu (le cas échéant) : vert, d'un rythme quelconque, autre que celui des marques de chenal préféré (voir page suivante).

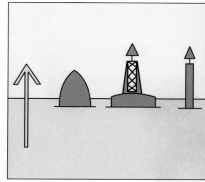

Marques latérales tribord

**Les marques de chenal préféré** indiquent le chenal à utiliser de préférence à la bifurcation de deux chenaux : le chenal préféré est à tribord ou à bâbord (voir pages 26 et 27).

— Couleur : verte avec une bande rouge ou rouge avec une bande verte.

— Forme et voyant : les mêmes que les marques bâbord et tribord.

— Feu (le cas échéant) rouge ou vert (croquis ci-dessous), à éclats diversement groupés (2 + 1).

Face à une de ces marques, il convient essentiellement de ne considérer que la forme du voyant et la couleur dominante de la marque. N'oublions pas que ce sont des marques latérales avec les mêmes formes de voyant et les mêmes couleurs à ceci près que s'y ajoute une bande de couleur inverse.

C'est ainsi que dans l'exemple ci-dessous, quand on vient du large, on doit laisser la marque sur la gauche (puisque c'est une marque bâbord) en prenant ainsi le chenal préféré sur la droite, à tribord.

A noter que l'autre chenal — qu'on peut appeler « chenal secondaire » — est praticable également mais il est recommandé d'emprunter le chenal préféré.

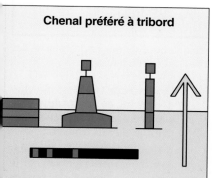

**Chenal préféré à tribord**

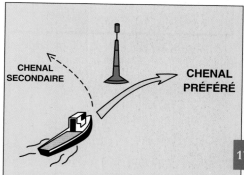

CHENAL SECONDAIRE

CHENAL PRÉFÉRÉ

Les feux d'une marque latérale de chenal préféré à tribord sont à éclats rouges groupés 2 +1.

Inversement, une marque verte avec bande rouge et voyant conique vert nous indiquera que le chenal préféré est à bâbord (toujours si l'on vient du large). Nous la laisserons donc sur tribord comme nous l'aurions fait avec n'importe quelle marque latérale tribord.

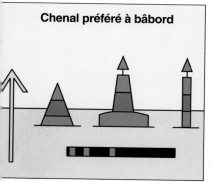

**Chenal préféré à bâbord**

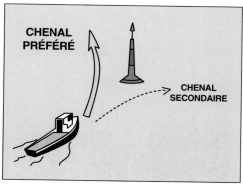

CHENAL PRÉFÉRÉ

CHENAL SECONDAIRE

Les feux d'une marque latérale de chenal préféré à bâbord sont à éclats verts groupés 2 + 1.

# RÉCAPITULATION DES MARQUES LATÉRALES

| | MARQUES LATÉRALES NORMALES | | MARQUES CHENAL PRÉFÉRÉ | |
|---|---|---|---|---|
| | **Bâbord** | **Tribord** | **à tribord**<br>(marques bâbord) | **à bâbord**<br>(marques tribord) |
| En venant du large,<br>à laisser sur ....... | Bâbord | Tribord | Bâbord | Tribord |
| Couleur .......... | Rouge | Verte | Rouge,<br>avec bande verte | Verte,<br>avec bande rouge |
| Forme ........... | cylindrique, charpente<br>ou espar | conique, charpente<br>ou espar | cylindrique, charpente<br>ou espar | conique, charpente<br>ou espar |
| Voyant<br>(le cas échéant) | Cylindre rouge | Cône vert<br>pointe vers le haut | Cylindre rouge | Cône vert<br>pointe vers le haut |
| Feu (le cas échéant) | Rouge<br>(rythme autre que celui des marques<br>de chenal préféré) | Vert | Rouge<br>à éclats groupés<br>(2 + 1) | Vert<br>à éclats groupés<br>(2 + 1) |

**Formule mnémotechnique à retenir :**

BAS    SI    ROUGE    ET       TRI    COT    VERT
(Bâbord – Cylindre – Rouge)       (Tribord – Cône – Vert)

**A retenir aussi** qu'en venant du large, sur chaque bord du navire, la couleur des bouées et de leur feu sera la même que celle du feu de côté du navire.

Une marque qui n'est ni cylindrique ni conique doit être équipée d'un voyant : ci-contre, marque latérale tribord.

Les marques latérales peuvent être numérotées, en suivant le sens conventionnel : les bouées tribord portent des chiffres impairs : 1, 3, 5, etc. et les bouées bâbord des chiffres pairs : 2, 4, 6, etc.

Toutes les marques un peu importantes ont leur nom en grandes lettres inscrit dessus ; elles sont donc facilement identifiables.

Marque latérale bâbord
(bouée charpente)

**LES MARQUES D'EAUX SAINES.** — Comme leur nom l'indique, elles servent à indiquer que les eaux sont saines (c'est-à-dire dans une zone où l'on ne trouve aucun obstacle, épaves, fonds rocheux, bancs ou autres obstacles pouvant présenter un danger pour la navigation) tout autour d'elles. Elles peuvent définir les axes des chenaux et les milieux de chenal. Elles peuvent également indiquer un atterrissage si aucune marque latérale ou cardinale n'indique ce dernier.

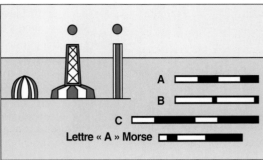

— Forme : sphère ou, à défaut, bouée charpente ou espar avec un voyant sphérique rouge.
— Couleur : bandes verticales rouges et blanches.
— Voyant (dans les cas de charpente ou espar) : une sphère rouge.
— Feu (lorsque la marque en est dotée) : blanc,
  – soit isophase (A)
  – soit à occultations (B)
  – soit à un éclat long (durée de lumière de 2 secondes au moins) toutes les 10 secondes (C).
  – ou lettre Morse « A » : ● ━━

19

**LES MARQUES SPÉCIALES** indiquent une zone spéciale ou une configuration mentionnée dans les documents nautiques. Elles sont classées en deux catégories :

— **les marques durables** (comportant un voyant en forme de X) :
  mouillage de quarantaine, câble, oléoduc, orifice d'égout ou de canalisation, dépôt de matériaux, zone d'exercice, zone réservée aux pilotes, aux aéroglisseurs, zone ou établissement de pêche, séparation de trafic, réserve naturelle ou de chasse, etc...

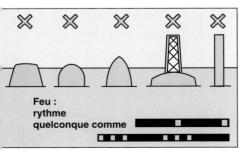

— **les marques occasionnelles :**
  (n'ont pas de voyant) : balisage de protection des baigneurs, de la bande des 300 mètres, de parcours de régates et d'autres sports nautiques. Elles peuvent porter des pictogrammes.

Les caractéristiques des marques spéciales sont les suivantes :
— Forme : quelconque, mais ne prêtant pas à confusion avec les autres marques ;
— Couleur : jaune ;
— Voyant (pour les marques durables) : un voyant en forme de X jaune ;
— Feu (lorsque la marque en est dotée) : jaune, d'un rythme quelconque autre que ceux utilisés pour les feux blancs (c'est-à-dire les feux des marques cardinales, de danger isolé et d'eaux saines).

Dans notre exemple du dessin du bas de la page 19, nous avons indiqué un feu jaune à éclats et un autre à 3 éclats groupés.

D'autres marques spéciales peuvent être mises en place à la suite de circonstances exceptionnelles. Elles sont mentionnées dans les documents nautiques appropriés.

**UNE MARQUE DE DANGER ISOLÉ** est une marque érigée sur un danger isolé en eaux saines — ou mouillée au droit du danger.

Ses caractéristiques sont les suivantes :

— Forme : bouée charpente ou espar ;
— Couleur : noire avec une ou plusieurs larges bandes horizontales rouges ;
— Voyant : deux sphères noires superposées ;
— Feu (lorsque la marque en est dotée) : blanc, à 2 éclats groupés.

Le voyant (les 2 sphères superposées et bien séparées l'une de l'autre) est le caractère distinctif le plus important de cette marque.

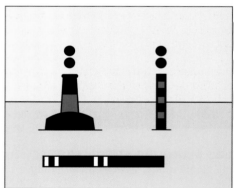

# MARQUES CARDINALES

Les marques cardinales indiquent au navigateur la position d'un danger – et, inversement, des eaux saines – au moyen des quatre points cardinaux. On utilise leurs indications à l'aide du compas du bord qui vous indique la direction du Nord.

Tout le monde connaît les 4 points cardinaux principaux : Nord (N), Est (E), Sud (S) et Ouest (W). Si on trace des orientations à mi-distance de ces points, on a : Nord-Est (NE), Sud-Est (SE), Sud-Ouest (SW), Nord-Ouest (NW). En affinant encore davantage, on découvre 8 autres orientations : Nord-Nord Est (NNE), Est-Sud Est (ESE), etc...

Le compas étant gradué de 0 à 360° (le Nord étant à 0 ou 360), le Nord-Est est à 45°, l'Est à 90°, etc...

Un navire qui fait route au 158 se dirige donc sensiblement vers le Sud-Sud Est.

Pour les marques cardinales, on distingue quatre quadrants dits Nord, Est, Sud et Ouest, limités par les relèvements vrais NW-NE, NE-SE, SE-SW, SW-NW dont l'origine est le point à marquer (voir croquis ci-dessous). Le balisage d'un danger dépendra donc du quadrant dans lequel on aura choisi d'implanter la marque.

Une marque cardinale reçoit le nom du quadrant dans lequel elle est placée. Il convient de passer, par rapport à la marque, dans le quadrant dont elle porte le nom. En effet, c'est dans ce quadrant que se trouvent les eaux saines, la marque permettant de déterminer également de quel côté d'un danger se trouvent les eaux saines. Le compas du bord fournissant l'orientation, la route est aisée à déterminer.

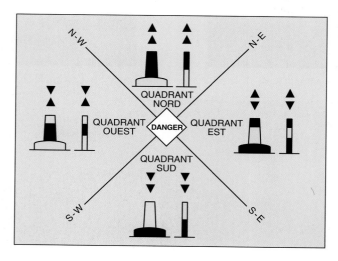

**IDENTIFICATION DES MARQUES CARDINALES.** — Ce sont souvent des bouées charpentes (photos ci-dessous) ou des espars (photo page 25).

Leurs voyants sont toujours noirs et ces marques sont peintes par bandes horizontales jaunes et noires comme on peut le voir dans le tableau de la page 21. Il est très facile de se rappeler la disposition des cônes et des bandes noires en utilisant le tableau mnémotechnique ci-dessous :

*La disposition des voyants suggère l'identification de la marque.*
*Le sens de leurs pointes indique la position du noir sur le corps de la marque.*

**Pointes en haut :**
- Cardinale Nord
- le noir est en haut

**Pointes en bas :**
- Cardinale Sud
- le noir est en bas

**Cônes opposés par la base :**
- Cardinale Est ( $\Leftarrow$ comme E)
- le noir est rejeté de part et d'autre du jaune

**Cônes opposés par la pointe :**
- Cardinale Ouest ( $\sum$ penché = W)
- le noir est en sandwich entre les 2 bandes jaunes

Cardinale Sud

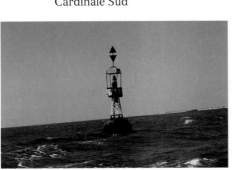

Cardinale Nord

Cardinale Est

# ROUTE À SUIVRE EN FONCTION DES MARQUES CARDINALES

Comme nous l'avons dit, le compas du bord fournissant l'orientation, la route est aisée à déterminer.

◀ Cardinale Est. Le danger est à l'Ouest de la marque. Les eaux saines se trouvent dans le quadrant Est.

▲ Cardinale Nord. Le danger est au Sud de la marque. Les eaux saines se trouvent dans le quadrant Nord.

Exercez-vous à déterminer votre route dans les deux cas ci-dessous. Les réponses sont données au bas de la page 24.

Cas B ▶

▼ Cas A

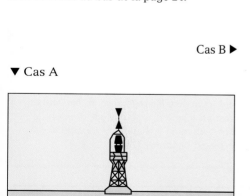

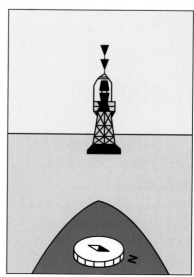

**IDENTIFICATION DES FEUX.** — Dans le balisage, les feux des marques cardinales (quand elles en possèdent) sont blancs et scintillants.

Le tableau ci-dessous donne la définition des scintillements ordinaires et rapides et le nombre de scintillements pour chacune des marques cardinales.

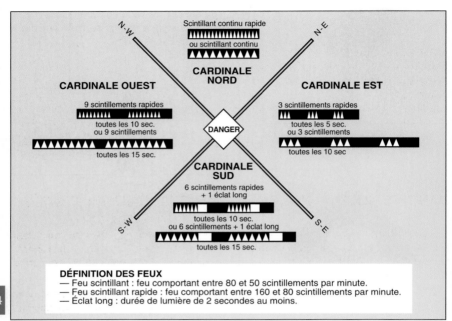

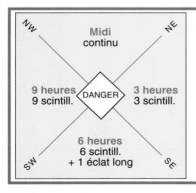

Un moyen facile de se souvenir du nombre des scintillements en l'associant à l'idée d'un cadran d'horloge :
— **Nord** (comme midi) : scintillement continu ;
— **Est** (comme 3 heures) : 3 scintillements + période d'obscurité ;
— **Sud** (comme 6 heures) : 6 scintillements suivis d'un éclat long puis période d'obscurité ;
— **Ouest** (comme 9 heures) : 9 scintillements + période d'obscurité.

RÉPONSES AUX EXERCICES DE LA PAGE 23

1er cas — Cardinale Ouest. Je viens sur tribord pour laisser la bouée sur bâbord.

2e cas — Cardinale Sud. Je viens sur bâbord pour laisser la bouée sur tribord.

Marque cardinale Nord (espar) ▶

**MARQUES CARDINALES DANS LES CHE-NAUX.** — Il est intéressant de savoir que des marques cardinales — avec feux blancs — peuvent être utilisées dans les chenaux pour signaler un coude, une jonction, une bifurcation ou l'extrémité d'un banc.

## DANGERS NOUVEAUX

L'expression « danger nouveau » s'applique à des obstructions découvertes récemment et qui ne sont pas encore portées sur les cartes marines et documents nautiques. Ce sont essentiellement des épaves ou des obstructions naturelles comme bancs de sable ou écueils.

Un danger nouveau est balisé par une des marques étudiées précédemment, normalement par une marque latérale ou cardinale. Si le danger est grave, cette marque est doublée par une autre marque en tous points identique.

Le ou les feux employés présentent un rythme « scintillant rapide » ou « scintillant ». Un danger nouveau peut être marqué par une balise radar, codée suivant la lettre Morse « D » et montrant un signal d'une longueur de 1 mille sur l'écran radar.

La marque en double peut être enlevée quand l'Administration estime que la présence de ce nouveau danger a été suffisamment diffusée et portée à la connaissance des navigateurs.

Danger nouveau (épave) balisé ici par deux marques cardinales Est. Il peut être également balisé, selon le cas, par d'autres marques latérales ou cardinales.

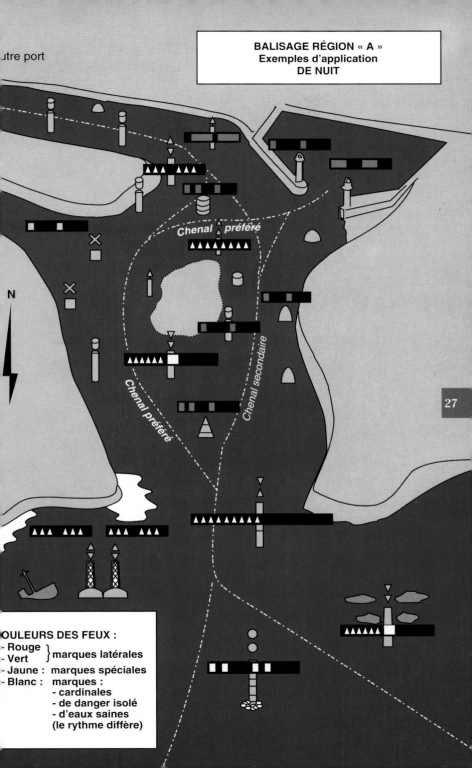

# MARQUES DIVERSES NE RESSORTISSANT PAS AU BALISAGE DE L'A.I.S.M.

## BALISAGE DES PLAGES

Ce balisage est le suivant (croquis ci-dessous) :
— Ligne des 300 mètres (quand elle est balisée) : bouées sphériques jaunes.
— Chenaux traversiers : bouées coniques et cylindriques jaunes, de plus en plus serrées en s'approchant du rivage.
  Les bouées d'entrée des chenaux sont plus grosses et sont coniques ou cylindriques selon le bord.
  Sur la rive, des panneaux bleus à figure blanche peuvent signaler ces chenaux.
— Zone interdites aux engins à moteur : bouées sphériques jaunes.
— Zone réservées uniquement aux baigneurs : colliers de sphères jaunes.

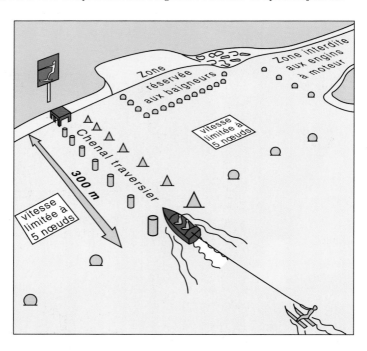

## AUTRES MARQUES À CONNAÎTRE

**Manifestations sportives autres que régates.** Marques en forme d'espars, bleues en haut, jaunes en bas, avec petite bande blanche intermédiaire.

**Parachutisme marin.** Marques jaunes en forme de couronne.

**Amarrage des navires.** Ballons ou flotteurs blancs, si possible de forme sphérique.

**Zones d'implantation des établissements de pêche.** Bouées sphériques ou biconiques jaunes surmontées d'un pavillon noir triangulaire.

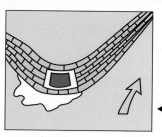

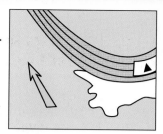

**Marques de musoir** (on vient du large).
Laisser la marque sur tribord (triangle noir ou vert).
Laisser la marque sur bâbord (rectangle rouge).

**Signalisation des ponts sur les bras de mer.**
A bâbord : rectangle rouge, feu rouge, fixe ou rythmé.
A tribord : triangle noir ou vert, feu vert fixe ou rythmé.
(p) au meilleur point de passage, feu blanc isophase ou scintillant.

Plates-formes en mer : lettre Morse U (●● ▬). Feux le plus souvent blancs.

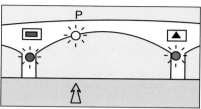

# SIGNALISATION PROPRE AUX ACTIVITÉS NAUTIQUES

| | autorisation | interdiction | |
|---|---|---|---|
| Embarcations de sport ou de plaisance | SPORT | SPORT | *Exemples d'application :* |
| Bâtiments motorisés (navires à moteur, motos de mer) | | | |
| Navires à voile | | | |
| Planches à voile | | | Panneau sur le rivage (voile interdite) |
| Ski nautique | | | |
| Bâtiments qui ne sont ni motorisés, ni à voile | | | |
| Baignade | | | Pictogramme sur bouée (Bâtiments motorisés interdits) |
| Véhicules nautiques à moteur | | | |
| Bassin de vitesse |  |  5 nds | Vitesse limitée à 5 nœuds |

# Les supports pédagogiques VAGNON pour votre formation au Permis côtier

## LES VIDÉOS

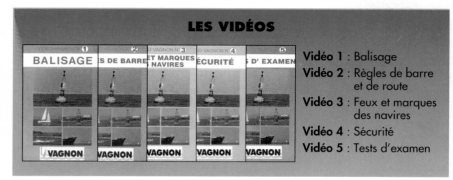

**Vidéo 1** : Balisage

**Vidéo 2** : Règles de barre et de route

**Vidéo 3** : Feux et marques des navires

**Vidéo 4** : Sécurité

**Vidéo 5** : Tests d'examen

## LES DIAPOSITIVES

- Le cours complet en 5 séries
- 3 séries de tests thématiques
- 4 séries d'examens blancs avec les commentaires sonores correspondants

## LES CARTES MURALES (format 550 x 720)

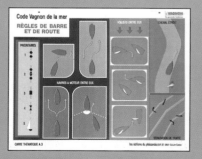

**7 cartes murales sont disponibles :**
- 2 sur le balisage (jour et nuit)
- 4 sur les feux et marques des navires
- 1 sur le balisage des plages et plans d'eau

# SIGNAUX

## Sonores et lumineux - de détresse - portuaires - météo

H. VAGNON

## SIGNAUX SONORES ET LUMINEUX ████████████████████

**DÉFINITIONS** (règle 32 du Règlement international pour prévenir les abordages en mer).
— Sifflet : tout appareil de signalisation sonore capable d'émettre les sons qui sont prescrits.
— Son bref ( ● ) : son d'une durée d'environ une seconde ;
— Son prolongé ( ■■ ) : son d'une durée de 4 à 6 secondes.

Une sonnerie de cloche sera désignée par le signe : 🔔 〰️

**MATÉRIEL** (règle 33)

Les navires de moins de 12 mètres ne sont pas tenus d'avoir à leur bord sifflet, cloche ou gong, mais doivent être munis, en leur absence, d'un autre moyen d'émettre un signal sonore efficace.

Ceux de 12 mètres et plus doivent être pourvus d'un sifflet et d'une cloche.

Ceux de 100 mètres et plus doivent être pourvus d'un sifflet, d'une cloche et d'un gong (émettant son signal à l'arrière du navire).

En vertu de l'arrêté du 23.11.87, tous les navires de plaisance battant pavillon français, y compris ceux de moins de 12 mètres, doivent être munis d'une corne de brume.

**TROIS CATÉGORIES DE SIGNAUX SONORES,** suivant leur rôle :
1. **Signaux de manœuvre.** Ils ne se font qu'entre navires en vue les uns des autres. Ils sont destinés à renseigner les autres navires sur une manœuvre que l'on va entreprendre. Ils se font dans des situations rapprochées où il y a toujours un risque ; le plus souvent zones portuaires à grande circulation mais parfois au large où un cas d'urgence peut se présenter (page 32).

2. **Signaux d'avertissement.** Sont à émettre quand on veut dépasser un navire plus lent dans un chenal étroit ou une voie d'accès, quand on s'approche d'un coude sans visibilité, quand on a des doutes sur les intentions d'un autre navire qui s'approche.

3. **Signaux sonores par visibilité réduite.** Sont à utiliser, tant de jour que de nuit, à l'intérieur ou à proximité d'une zone où la visibilité est réduite (brume notamment). Il est bon de rappeler fortement que l'on n'utilise jamais des signaux de manœuvre tant que la visibilité ne permet pas de se voir.

Ces signaux par visibilité réduite permettent de signaler sa présence : avec erre – sans erre – avec gêne dans ses possibilités de manœuvrer – au mouillage – échoué, et l'identification des navires pilotes.

**Signaux de manœuvre** (règle 34 a) et b).

**1. Signaux** émis au sifflet par un navire à propulsion mécanique faisant route :

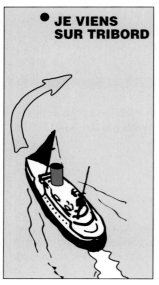

● **JE VIENS SUR TRIBORD**

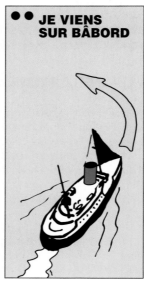

●● **JE VIENS SUR BÂBORD**

●●● **JE BATS EN ARRIÈRE**

Il est impératif que les navires puissent se voir et s'entendre pour comprendre la manœuvre signalée. Ces signaux ne s'utilisent donc pas par temps de brume.

**2. Signaux lumineux.** Les signaux au sifflet étudiés ci-dessus peuvent être complétés par des signaux lumineux au rythme semblable : 1 éclat, je viens sur tribord – 2 éclats, je viens sur bâbord – 3 éclats, je bats en arrière.

Chaque éclat doit durer une seconde environ et l'intervalle entre les éclats doit être d'une seconde également. Le feu doit être **blanc**, visible sur tout l'horizon, et d'une distance de 5 milles au moins.

## Signaux d'avertissement (règles 34 c) d) e).

**1. Dépassement dans un chenal étroit ou une voie d'accès** (ne pouvant s'effectuer que si le navire rattrapé manœuvre pour permettre à l'autre navire de le

dépasser en toute sécurité).
Le rattrapant indique son intention par un des deux signaux :
■ ■ ● « je compte vous rattraper sur votre tribord »
■ ■ ● ● « je compte vous rattraper sur votre bâbord ».
Le navire sur le point d'être rattrapé doit, tout en manœuvrant, indiquer son accord par le signal :
■ ● ■ ●

Cette manœuvre est délicate et nécessite accord, vigilance et souvent participation du rattrapé, en raison des risques dus à la proximité des navires lors du dépassement.

Ces signaux ne sont naturellement émis que par des navires en vue l'un de l'autre.

Si le rattrapé ne répond pas au signal du rattrapant, ce dernier devra considérer que le dépassement est jugé inopportun et refusé ; il devra modérer sa vitesse en conséquence.

 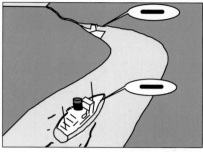

**2. En cas d'incertitude.** Lorsque deux navires s'approchent l'un de l'autre et que l'un d'eux a des doutes sur les intentions ou la manœuvre de l'autre, il émet une série rapide d'au moins 5 sons brefs. Le signal peut être complété par un signal lumineux d'au moins 5 éclats brefs et rapides. Signaux naturellement émis que par des navires en vue l'un de l'autre.

**3. Approche d'un coude du chenal.** Un navire s'approchant d'un coude sans visibilité doit faire entendre un son prolongé. Tout navire venant dans sa direction de l'autre côté du coude doit répondre par un son prolongé également.

## Signaux sonores par visibilité réduite (règle 35).

À utiliser tant de jour que de nuit, à l'intérieur ou à proximité d'une zone où la visibilité est réduite (brume notamment).

Les navires de moins de 12 mètres ne sont pas tenus de les faire entendre mais s'ils ne le font pas ils doivent faire entendre un autre signal sonore efficace à des intervalles ne dépassant pas deux minutes.

**Un navire à propulsion mécanique ayant de l'erre** doit faire entendre un son prolongé à des intervalles ne dépassant pas deux minutes.

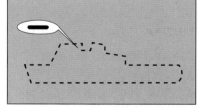

**Un navire faisant route mais stoppé et n'ayant pas d'erre** (ni mouillé, ni amarré, ni échoué) doit faire entendre, à des intervalles ne dépassant pas deux minutes, deux sons prolongés séparés par un intervalle de deux secondes.

Dans ce cas, le navire ayant de l'erre saura que c'est à lui de manœuvrer si besoin est pour éviter une situation trop proche.

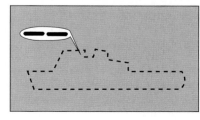

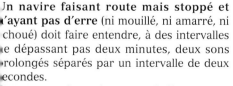

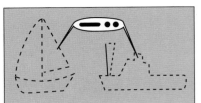

**Les voiliers** et les navires qui sont :
— **non maîtres de leur manœuvre ;**
— **à capacité de manœuvre restreinte ;**
— **handicapés par leur tirant d'eau ;**
— **en train de pêcher ;**
— **remorqueurs ou pousseurs ;**

doivent émettre, au lieu des signaux précédents, un son prolongé suivi de deux sons brefs, à des intervalles ne dépassant pas deux minutes.

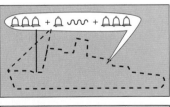

**Un navire remorqué** émet (si possible immédiatement après le signal du remorqueur) un son prolongé suivi de 3 sons brefs, à des intervalles ne dépassant pas deux minutes.

Une « unité composite » (ensemble poussé rigide) émet les signaux d'un navire à propulsion mécanique.

**Un navire au mouillage** doit sonner la cloche rapidement pendant 5 secondes, à des intervalles ne dépassant pas une minute.

Navire de plus de 100 mètres : sonner la cloche à l'avant puis immédiatement le gong à l'arrière pendant 5 secondes.

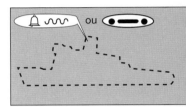

Un navire mouillé peut également émettre un son bref suivi d'un son prolongé et d'un son bref pour signaler sa position, si un autre navire s'approche. Ce signal ne se fait qu'en cas de crainte d'un abordage, pour attirer l'attention.

Au mouillage, un navire en train de pêcher et un navire à capacité de manœuvre restreinte au travail, ne doivent pas émettre ce signal mais le signal : ▬▬ ● ●

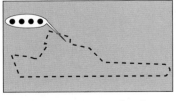

**Un navire échoué** doit sonner la cloche et éventuellement le gong, comme un navire au mouillage. En plus, il doit faire entendre 3 coups de cloche séparés et distincts immédiatement avant et après. Il peut aussi émettre au sifflet un signal approprié.

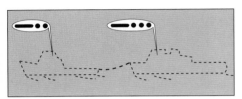

**Un bateau-pilote** en service de pilotage peut outre les signaux des navires à propulsion mécanique, faire entendre un signal de 4 sons brefs qui a pour but de permettre d'identifier le bateau-pilote parmi d'autres navires.

**SIGNAUX DESTINÉS À APPELER L'ATTENTION** (règle 36). – Tout navire peut appeler l'attention d'un autre navire par des signaux lumineux ou sonores ne pouvant être confondus avec les signaux réglementaires ou bien orienter le faisceau de son projecteur en direction du danger qui menace un navire sans aveugler les autres navires.

# RÉCAPITULATION DES SIGNAUX SONORES

**SIGNAUX DE MANŒUVRE.** – Ils doivent indiquer tout changement de route effectué par un navire à propulsion mécanique lorsqu'il est en vue d'un ou d'autres navires :

●            : Je viens sur tribord

● ●          : Je viens sur bâbord.

● ● ●        : Je bats en arrière.

## SIGNAUX D'AVERTISSEMENT

▬              : (A l'approche d'un coude ou d'un obstacle.)

▬ ▬ ● ●        : Je compte vous rattraper sur votre tribord.

▬ ▬ ● ●        : Je compte vous rattraper sur votre bâbord.

▬ ● ▬ ●        : (Accord du navire rattrapé).

● ● ● ● ●      : (5 au moins) : (Ce signal doit être émis lorsqu'on a des doutes sur les intentions d'un autre navire qui s'approche).

## SIGNAUX PAR VISIBILITÉ RÉDUITE

▬              (toutes les deux minutes) : Navire à moteur ayant de l'erre.

▬ ▬            (toutes les deux minutes) : Navire à moteur faisant route mais stoppé et sans erre.

▬ ● ●          (toutes les deux minutes) : Navire non maître de sa manœuvre, navire à capacité de manœuvre restreinte, navire handicapé par son tirant d'eau, navire à voile, navire en train de pêcher, navire remorqueur ou pousseur.

▬ ● ●          (toutes les deux minutes) : Navire en train de pêcher au mouillage et navire à capacité de manœuvre restreinte au travail, au mouillage.

▬ ● ● ●        (toutes les deux minutes) : Navire remorqué.

🔔 〰️          (chaque minute) : Navire mouillé (sauf navire en train de pêcher et navire à capacité de manœuvre restreinte au travail).

🔔 〰️          + coup de gong (chaque minute) : Navire mouillé de plus de 100 mètres.

● ▬ ●          Signal pouvant être émis par le navire mouillé (il porte plus « au vent » que la cloche) pour signaler sa position.

🔔🔔🔔 + 🔔 〰️ + 🔔🔔🔔          (3 coups de cloche séparés + sonnerie rapide de cloche pendant 5 secondes + 3 coups de cloche séparés) : Navire échoué (signal répété toutes les minutes).

               + gong pour navire de plus de 100 mètres.

● ● ● ●        Navire pilote attirant l'attention d'un navire.

# SIGNAUX DE DÉTRESSE

Les signaux ci-après, utilisés ou montrés ensemble ou séparément, traduisent la détresse et le besoin de secours.

Feu automatique à main (produit une lumière rouge comme un feu de Bengale).

Fusée à parachute (feu de Bengale)

Fusées à étoiles rouges (remplacées maintenant par fusées à parachute)

Utilisation des feux automatiques à main et des fusées : il faut tenir l'engin incliné vers l'extérieur, **sous le vent**. De préférence, se protéger la main d'un chiffon.
Pour plus de détails dans l'utilisation voir page 122.

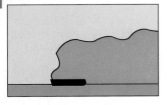

Fumigène orange (Ne peut servir que de jour. Avec du vent, se dilue rapidement. Sans vent traîne sur l'eau).

Mouvements lents et répétés de haut en bas des bras étendus de chaque côté du corps.

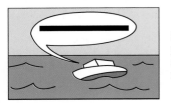

Son continu produit par un appareil quelconque pour signaux de brume (sirène, corne de brume, sifflet, etc...). Son continu signifie « ininterrompu ».

Signal NC du code international des signaux (Bien
disposer les 2 pavillons
dans le bon ordre)

Pavillon carré au-dessus
ou en dessous d'une boule
(couleur indifférente)

Signal « MAYDAY » (3 fois) en radiotéléphonie (VHF canal 16, BLU 2182 kHz)

S.O.S. en morse (radiotélégraphie et
signaux lumineux par lampe torche)

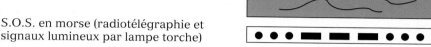

— Flamme produite en brûlant un baril de goudron ou d'huile.
— Coups de canon ou autres signaux explosifs, toutes les minutes environ.
— Signal radiotélégraphique d'alarme (12 traits d'une minute).
— Signal radiotéléphonique d'alarme (2 tonalités transmises alternativement).
— Signaux transmis par les radiobalises de localisation des sinistres.
— Signaux approuvés transmis par des systèmes de radiocommunications.

Miroir de signalisation, pour faire des appels
en réfléchissant les rayons du soleil.
(Non prévu au Règlement international mais
imposé dans l'armement des navires de plus
de 5 mètres. Possède un dispositif de visée).

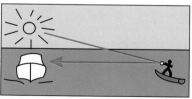

(Pour faciliter le repérage aérien) morceau
de toile de couleur orange avec un carré et
un cercle noirs, ou tout autre symbole.
Ou colorant.

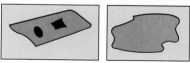

**IMPORTANT** - L'usage de tous ces signaux est interdit en dehors du cas de
détresse ainsi que l'usage d'autres signaux susceptibles de créer une confusion.

### RÉPONSES DES STATIONS OU NAVIRES DE SAUVETAGE :
a) fumée orange.
b) 3 signaux simples tirés à une minute d'intervalle.
c) 3 fusées à étoile blanche tirées à une minute d'intervalle.

# SIGNAUX RÉGISSANT
# LE TRAFIC PORTUAIRE

La signalisation du trafic portuaire, en vigueur depuis le 1$^{er}$ janvier 1990, n'utilise que des feux, de jour comme de nuit. Chaque sens de circulation rencontre ses propres feux, la signalisation destinée aux navires entrants étant donc très souvent différente de celle destinée aux navires sortants.

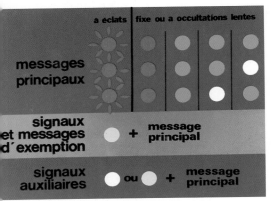

Cette signalisation comprend :
— essentiellement, des messages principaux comportant toujours 3 feux superposés ;
— des signaux et messages d'exemption et des signaux auxiliaires, fournissant des indications complémentaires en étant montrés en même temps que les signaux principaux.

**MESSAGES PRINCIPAUX**

Le signal de danger grave est à éclats rouges. Tous les navires doivent se dérouter en fonction des instructions reçues. Il peut s'agir de l'incendie d'un pétrolier dans un port, comme ci-contre, ou de toute autre circonstance aussi grave.

Seul, ce signal de danger grave est à éclats. Tous les autres signaux que nous allons étudier comportent des feux fixes ou à occultations lentes.

Le navire A sur lequel nous nous trouvons est autorisé à entrer au port par ce signal constitué de 3 feux verts, qui signifie trafic à sens unique.

A l'intérieur du port, le navire B attend pour sortir.

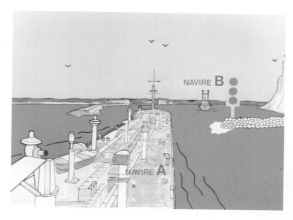

Ce navire B est stoppé en effet par un signal d'interdiction de passer constitué de 3 feux rouges fixes ou à occultations lentes.

Ce signal d'interdiction de passer correspond automatiquement à celui de trafic à sens unique que rencontre le navire A.

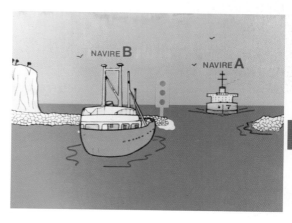

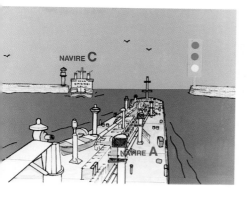

Avec le même navire A nous sortons à présent d'un autre port et nous rencontrons ce signal qui indique que les navires peuvent passer et que le trafic s'effectue à double sens.

Effectivement, nous allons croiser, sur bâbord, le navire C qui rentre au port et qui, lui aussi, a été autorisé à passer par le même signal : vert - vert - blanc, fixe ou à occultations lentes.

3 feux : vert - blanc - vert signifient que les navires ne peuvent passer que s'ils ont reçu des instructions spéciales les y autorisant.

Ce ferry est immobilisé à l'entrée de la passe, dans l'attente de ces instructions à recevoir par radio ou par bateau de la police.

## SIGNAUX D'EXEMPTION

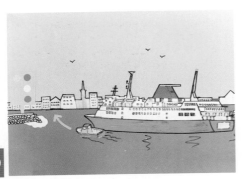

Mais si un feu jaune s'allume à la <u>gauche</u> des 3 feux principaux, les navires qui naviguent hors du chenal principal n'ont pas à respecter le message des 3 feux superposés.

C'est ainsi que le petit bateau peut, lui, pénétrer ici dans le port.

Le feu jaune d'exemption est toujours fixe ou à occultations lentes.

Le même signal d'exemption peut être associé au signal d'interdiction de passer. De ce fait, les navires qui naviguent hors du chenal principal (comme ce petit navire de pêche) peuvent passer alors qu'un gros navire devrait respecter les 3 feux rouges et ne pas passer.

## SIGNAUX AUXILIAIRES

Ils sont donnés par des feux blancs (ou jaunes) situés à la <u>droite</u> des 3 feux principaux.

Ils peuvent fournir des informations sur le trafic en sens inverse ou indiquer par exemple, qu'une drague travaille dans le chenal.

Ces feux sont fixes ou à occultations lentes.

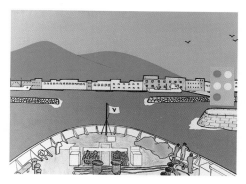

## PETITS PORTS

Les signaux portuaires que nous venons d'étudier sont normalement allumés en permanence mais dans certains petits ports il n'est pas nécessaire de montrer un signal dans des circonstances normales. Seul le signal de « danger grave » est utilisé. Dans d'autres ports, un ou deux messages et signaux principaux suffisent.

# SIGNAUX MÉTÉO
## (signaux visuels internationaux d'avis de tempête)

Le signal de grand frais toute direction s'applique au vent de force 7 Beaufort (de 28 à 33 nœuds). Voir page suivante et le chapitre « Météo » dans le volume 2.

De jour : une boule noire.

De nuit : 2 feux superposés, blanc au-dessus du vert.

Les autres signaux météo sont donnés page 43.

## ÉCHELLE BEAUFORT POUR LE VENT

| | Termes descriptifs | Vitesse moyenne en nœuds | Vitesse moyenne en km/h | Aspect de la mer |
|---|---|---|---|---|
| 0 | Calme | <1 | <1 | Comme un miroir |
| 1 | Très légère brise | 1-3 | 1-5 | Quelques rides |
| 2 | Légère brise | 4-6 | 6-11 | Vaguelettes ne déferlant pas |
| 3 | Petite brise | 7-10 | 12-19 | Les moutons apparaissent |
| 4 | Jolie brise | 11-16 | 20-28 | Petites vagues, nombreux moutons |
| 5 | Bonne brise | 17-21 | 29-38 | Vagues modérées, moutons, embruns |
| 6 | Vent frais | 22-27 | 39-49 | Lames, crêtes d'écume blanche, embruns |
| 7 | Grand frais | 28-33 | 50-61 | Lames déferlantes, traînées d'écume |
| 8 | Coup de vent | 34-40 | 62-74 | Tourbillons d'écume à la crête des lames, traînées d'écume |
| 9 | Fort coup de vent | 41-47 | 75-88 | Lames déferlantes, grosses à énormes, visibilité réduite par les embruns |
| 10 | Tempête | 48-55 | 89-102 | Lames déferlantes, grosses à énormes, visibilité réduite par les embruns |
| 11 | Violente tempête | 56-63 | 103-117 | Lames déferlantes, grosses à énormes, visibilité réduite par les embruns |
| 12 | Ouragan | $\geq 64$ | $\geq 118$ | Lames déferlantes, grosses à énormes, visibilité réduite par les embruns |

*Les vitesses se rapportent au vent moyen et non aux rafales*

**COMMENT SE PROCURER LA MÉTÉO -** Curieusement, cela ne figure pas au programme du permis côtier alors que des questionnaires d'examen par QCM abordent le sujet. On peut se procurer la météo :
— par répondeur téléphonique, en composant le 36 68 08 suivi du numéro minéralogique du département côtier qui vous intéresse (ex : 36 68 08 56 pour le Morbihan, 36 68 08 83 pour le Var) ou 36 68 08 08 pour les zones du large (Manche et Mer du Nord - Atlantique - Méditerranée) ;
— par les avis affichés dans les bureaux de port, les Affaires Maritimes, etc... ;
— par les bulletins météo de la presse et de la radio ;
— par minitel (faire 36 15 Météo, puis « Mer ») ;
— par V.H.F.
Tous ces éléments sont développés en détail dans le volume 2 du Code Vagnon de la mer, chapitre « Météo ».

# AUTRES SIGNAUX MÉTÉO

SIGNAUX
DE JOUR

SIGNAUX
DE NUIT

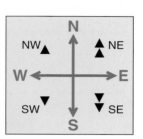

Comment mémoriser
les 4 signaux
du coup de vent.

 Coup de vent ou tempête commençant dans le quadrant Nord-Ouest

Coup de vent ou tempête commençant dans le quadrant Sud-Ouest

 Coup de vent ou tempête commençant dans le quadrant Nord-Est

 Coup de vent ou tempête commençant dans le quadrant Sud-Est

Saute de vent (changement de direction dans le sens des aiguilles d'une montre).

Saute de vent (changement de direction dans le sens contraire des aiguilles d'une montre).

Les pavillons peuvent être de toute couleur appropriée.

Ouragan (ou synonyme local) avec vent de force Beaufort 12 (64 nœuds et plus) dans toutes directions.

43

## AUTRES SIGNAUX

### Signaux de marée

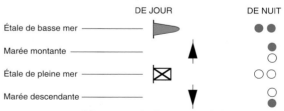

DE JOUR          DE NUIT

Étale de basse mer

Marée montante

Étale de pleine mer

Marée descendante

### Signaux de hauteurs d'eau

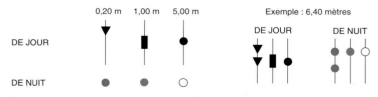

0,20 m   1,00 m   5,00 m          Exemple : 6,40 mètres

DE JOUR          DE NUIT

DE JOUR

DE NUIT

# RÈGLES DE BARRE ET DE ROUTE

H. VAGNON

Nous donnons ci-après les dispositions essentielles des règles de barre et de route qu'il faut connaître pour l'examen du permis de conduire.

Ces dispositions sont suffisantes pour passer l'examen avec succès. Mais le lecteur qui voudra en savoir davantage sur la mise en pratique des règles de barre et de route utilisera avec profit l'ouvrage *Feux des navires et Règles de barre* de Y. Kerdavid, aux Éditions du Plaisancier.

**RESPONSABILITÉ** (règle 2) — Il est précisé tout de suite que l'application des règles ne saurait dispenser des précautions et de la prudence nécessaires et que notamment on doit tenir compte de tous les dangers de navigation, des risques d'abordage et des possibilités des autres navires, qui peuvent obliger à s'écarter de ces règles.

Le plaisancier devra s'en souvenir, surtout vis-à-vis des gros navires beaucoup moins manœuvrants et ne pas essayer de les contraindre, par exemple, à changer de route à cause de lui.

**DÉFINITIONS GÉNÉRALES** (règle 3) — On entend par navire tout engin ou appareil (y compris les hydravions) susceptible d'être employé comme moyen de transport sur l'eau.

Un navire est un **navire à voile** lorsqu'il ne marche qu'à la voile. Il ne l'est plus s'il utilise son propulseur (c'est le cas des voiliers lorsqu'ils utilisent leur moteur auxiliaire).

L'expression **navire en train de pêcher** désigne un navire qui se sert d'engins réduisant sa capacité de manœuvre (un plaisancier traînant une ou deux lignes n'est pas « en train de pêcher »).

On n'est **pas maître de sa manœuvre** lorsqu'on ne peut appliquer le Règlement pour prévenir les abordages et qu'on ne peut s'écarter de la route d'un autre navire.

Un **navire à capacité de manœuvre restreinte** est celui qui ne peut manœuvrer en raison de la nature de ses travaux (câbliers, baliseurs, poseurs de pipe-line, navires hydrographes, ravitailleurs en opération, navires d'assistance aux aéronefs, dragueurs de mines, remorqueurs ne pouvant changer de cap).

Un **navire handicapé par son tirant d'eau** peut difficilement modifier sa route lorsque la profondeur d'eau est faible, et en particulier dans les chenaux. A noter qu'il lui faut plus de temps qu'aux autres pour évoluer, même en haute mer.

Deux navires sont en **vue** l'un de l'autre lorsque l'un d'eux peut être observé « visuellement » par l'autre.

Un navire **fait route** lorsqu'il n'est ni à l'ancre, ni amarré à terre, ni échoué.

Le Règlement international ne donne pas la définition de **l'erre d'un navire**. On peut estimer que l'erre d'un navire est la « vitesse par rapport à l'eau » conservée par un navire. C'est la vitesse acquise par un navire en marche, et qu'il conserve un certain temps après arrêt du moteur. On dit alors que le navire « court sur son erre ». L'effet de la mer le freinant progressivement, sa vitesse va décroître et devenir nulle.

Les navires faisant route dans un chenal étroit ou une voie d'accès doivent lorsque cela peut se faire sans danger, naviguer aussi près que possible de la limite extérieure droite du chenal.

Les navires de moins de 20 mètres et les voiliers ne doivent pas gêner les navires qui ne peuvent naviguer en toute sécurité qu'à l'intérieur du chenal.

Les navires en train de pêcher ne doivent pas gêner le passage des autres navires.

On ne doit pas traverser un chenal si cela occasionne une gêne pour les navires qui ne peuvent naviguer qu'à l'intérieur du chenal. Ces derniers peuvent attirer l'attention du navire qui traverse en sifflant 5 sons brefs au moins.

Si un dépassement, dans un chenal étroit, nécessite une manœuvre du navire rattrapé (pour qu'il s'écarte), des signaux sonores doivent être utilisés. On les a étudiés en bas de la page 32.

Le navire rattrapant demeure toujours responsable de la manœuvre, même ultérieurement (voir règle 13, page 49).

**45**

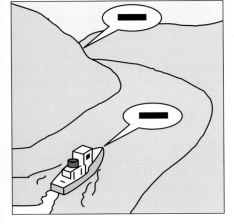

◄ Lorsqu'on s'approche d'un coude sans visibilité, siffler un son prolongé et naviguer avec prudence et vigilance particulières.

Enfin, tout navire doit, si les circonstances le permettent, éviter de mouiller dans un chenal étroit.

## DISPOSITIFS DE SÉPARATION DU TRAFIC (règle 10)

Dans des zones à fort trafic, les navires doivent suivre des routes bien définies sur les cartes. Il y a un couloir de navigation pour chaque sens de circulation et une zone de séparation entre les deux. Entre la côte et la voie de circulation la plus proche, une « zone de navigation côtière » autorise la navigation des navires de moins de 20 mètres, des voiliers et des navires en action de pêche.

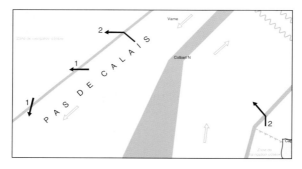

Où existent de tels dispositifs, il convient de suivre la voie appropriée en évitant de se trouver trop près de la ligne de séparation. S'y engager ou s'en dégager aux extrémités ou sous un angle aussi faible que possible par rapport à la direction générale du trafic (en 1).

Si l'on doit traverser un tel dispositif, le faire perpendiculairement à la direction du trafic (en 2).

La navigation aux approches des dispositifs de séparation de trafic doit être vigilante.

Éviter de mouiller à l'intérieur ou dans les zones proches de ces dispositifs.

Les navires de moins de 20 mètres ou les navires à voile ne doivent pas gêner les navires qui suivent une voie de circulation. Ils peuvent d'ailleurs, en toutes circonstances, utiliser les **zones de circulation côtière.** Cette possibilité permet aux petits navires de plaisance de faire route sans devoir se mêler au trafic général des grands navires.

**VEILLE** (règle 5). — La veille (c'est-à-dire l'attention, la surveillance) visuelle et auditive doit être permanente, de manière à apprécier pleinement la situation et les risques d'abordage.

**VITESSE DE SÉCURITÉ** (règle 6). — Elle doit être telle qu'on puisse arrêter le navire sur une distance adaptée aux circonstances et conditions existantes.
(Nota : les critères qui interviennent pour déterminer cette vitesse de sécurité sont nombreux : visibilité, densité du trafic, capacité de manœuvre, etc...).

**RISQUE D'ABORDAGE** (règle 7). — Il y a risque d'abordage si le relèvement au compas d'un navire qui s'approche ne change pas de manière appréciable.

Le **relèvement** est l'angle formé par la direction du Nord avec la direction d'un point remarquable — en l'occurrence, ici, l'autre navire qui s'approche. Dans le croquis ci-dessous, nous constatons, à bord du navire rouge, que le relèvement du navire jaune reste constant, à 130°, que ce soit à 8 h 15, 8 h 30 ou 8 h 45. Les routes suivies par les deux navires montrent que la collision est inévitable si l'un des deux navires ne tente pas une manœuvre pour l'empêcher.

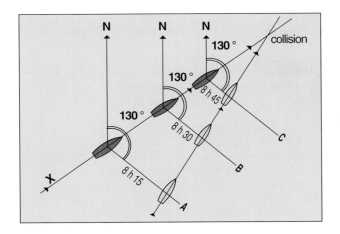

Il en est de même si le gisement reste constant.
Le **gisement** est l'angle que forme la direction d'un point avec l'axe du navire. Sur notre croquis, c'est donc l'angle que forme la direction du navire jaune à 8 h 15, 8 h 30, 8 h 45, etc... (en A, B, C sur le croquis) avec l'axe de notre navire rouge, c'est-à-dire notre route marquée en X sur le croquis. Vous remarquerez que cet angle, non plus, ne varie pas et que l'abordage est inévitable.

A défaut de compas, il convient de repérer l'autre navire par rapport à un point fixe de votre propre navire (superstructure, hauban, etc...). Si l'autre navire s'approche sans que le point de repère change de place (à la condition que vous-même ne changiez pas de place entre les observations), cela signifie que le gisement reste constant. Les deux routes sont donc convergentes et il y a risque de collision.

Cette méthode est toutefois assez aléatoire car le gisement peut être affecté par les embardées de votre navire. Mieux vaut observer le relèvement, en utilisant votre compas.

Un risque d'abordage peut également exister même si l'on observe une variation appréciable du relèvement, lorsqu'on s'approche d'un très grand navire ou d'un navire très proche.

Si votre navire est équipé d'un radar, vous suivrez sur l'écran la progression de l'autre navire et pourrez matérialiser sa route par la pratique du « plotting ». Mais c'est surtout valable par temps de brume et la règle 7 précise bien qu'on doit éviter de tirer des conclusions de renseignements insuffisants, notamment de renseignements radar insuffisants.

La même règle ajoute que s'il y a doute quant au risque d'abordage, **on doit considérer que ce risque existe**.

**MANŒUVRES POUR ÉVITER LES ABORDAGES** (règle 8) — Elles doivent être effectuées franchement, être perceptibles immédiatement par l'autre navire, être faites largement à temps et contrôlées jusqu'à ce que l'autre navire soit « paré » et « clair » (c'est-à-dire doublé et hors de portée) et accompagnées, s'il le faut, d'une réduction de vitesse ou d'une marche arrière.

A ce propos, il est bon de rappeler aux plaisanciers qu'il est toujours préférable de s'écarter de la route d'un grand navire, même en étant « privilégié » (prioritaire) par rapport à lui, car il ne pourrait pas manœuvrer et s'arrêter à temps.

# NAVIRE QUI EN RATTRAPE UN AUTRE (règle 13) : DÉFINITION DU « RATTRAPANT ».

— Est considéré comme rattrapant tout navire qui se rapproche d'un autre en venant d'une direction de plus de 22,5 degrés (2 quarts) sur l'arrière du travers de ce dernier (règle 13).

En d'autres termes, tant qu'il n'aperçoit pas, de nuit, un de ses feux de côté.

En A, le navire blanc est rattrapant puisqu'il n'aperçoit que le feu de poupe de l'autre. En B, il commence à apercevoir un de ses feux de côté, mais il reste soumis à l'obligation de s'écarter et de manœuvrer, tant qu'il ne l'aura pas dépassé et paré. (Voir le dernier alinéa, en bas de cette page).

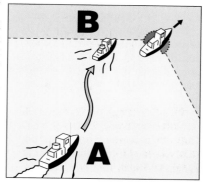

S'il y a doute et si le bateau ne peut pas reconnaître s'il est sur l'arrière ou sur l'avant de la direction indiquée, il doit se considérer comme rattrapant et exécuter la manœuvre qui sera indiquée au paragraphe suivant : s'écarter de la route de l'autre navire.

Il convient de faire la distinction entre le « dépassement » dans un chenal étroit étudié à la page 45 et cette manœuvre du navire qui en rattrape un autre. Il faut avoir rattrapé un navire pour le dépasser. Un dépassement implique une identité de route et un passage très rapproché. C'est le cas des chenaux étroits où le risque à prendre nécessite accord préalable, coopération et vigilance, d'où la procédure des signaux sonores.

La règle 13, par contre, est générale, elle s'applique aux navires en eaux libres et en haute mer. Ici, l'identité des routes n'est qu'un cas particulier dans le secteur où l'on doit se considérer comme rattrapant. L'esprit de la règle interdit au rattrapant toute manœuvre qui puisse gêner le rattrapé ; il passera toujours à bonne distance pour ne pas créer un risque, l'usage des signaux sonores ne se justifie pas.

## MANŒUVRE A EXÉCUTER.

— Tout bateau qui en rattrape un autre doit s'écarter de la route de ce dernier, dit explicitement la règle 13. Un voilier rattrapant un navire à moteur est soumis à cette règle.

Le navire qui s'écarte peut laisser le navire rattrapé à tribord comme à bâbord.

Aucun changement ultérieur dans le relèvement entre les deux navires ne pourra faire considérer le navire qui rattrape l'autre comme croisant sa route et ne pourra l'affranchir de l'obligation de s'écarter de la route du navire rattrapé jusqu'à ce qu'il l'ait tout à fait dépassé et paré. Autrement dit, même après avoir gagné sur l'autre bateau au point d'apercevoir son feu de côté, il reste soumis à l'obligation de s'écarter et de manœuvrer, tant qu'il ne l'aura pas

dépassé et paré. Ce n'est qu'à ce moment-là qu'il peut faire une route qui croise la sienne. Cela n'est important d'ailleurs que s'il voit le bateau rattrapé sur bâbord puisqu'il serait alors privilégié au moment où les routes se croiseraient.

# RENCONTRE DE DEUX NAVIRES A PROPULSION MÉCANIQUE (1) —

Deux cas peuvent se présenter.

1° Lorsqu'ils font des routes directement opposées ou à peu près opposées de telle sorte qu'il existe un risque d'abordage, chacun d'eux doit venir sur tribord pour passer par bâbord l'un de l'autre (règle 14).

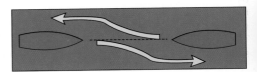

Il s'agit du cas où les navires ont le cap l'un sur l'autre en suivant des directions opposées de telle sorte que de nuit chacun verrait, droit devant lui, à la fois les feux de côté rouge et vert de l'autre. Chacun d'eux doit donc abattre sur tribord pour éviter la collision.

2° Lorsqu'ils font des routes qui se croisent de telle sorte qu'il existe un risque d'abordage, le navire qui voit l'autre sur tribord doit s'écarter de la route de celui-ci (règle 15), et, si les circonstances le permettent, passer sur son arrière.

Mais attention ! Un navire qui s'approche d'un autre sur le tribord de celui-ci, en venant d'une direction de plus de 22,5 degrés sur l'arrière de son travers (c'est-à-dire ne voyant que son feu de poupe et non son feu de côté tribord), n'est pas « privilégié » mais « rattrapant » (voir page précédente).

---

(1) Nous rappelons que les voiliers marchant à la voile et au moteur sont considérés comme navires à propulsion mécanique. Ils doivent, la nuit, en porter les feux réglementaires et montrer le jour, à l'avant, un cône noir pointe en bas.

# RENCONTRE DE DEUX VOILIERS

(marchant uniquement à la voile) risquant de provoquer une collision.
(A ce sujet, bien retenir la définition du mot « amure » : bord sur lequel le voilier reçoit le vent).
Trois cas de rencontres peuvent se présenter :

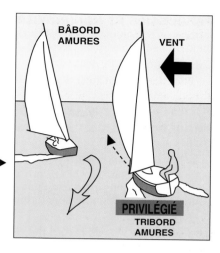

1° Quand chacun des navires reçoit le vent ▶ d'un bord différent, celui qui reçoit le vent de bâbord (c'est-à-dire celui qu'on appelle « bâbord amures ») doit s'écarter de la route de l'autre.

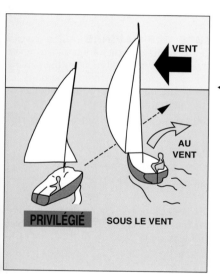

◀ 2° Quand les deux navires reçoivent le vent du même bord (c'est-à-dire naviguent sous les mêmes amures), celui qui est au vent doit s'écarter de la route de celui qui est sous le vent.

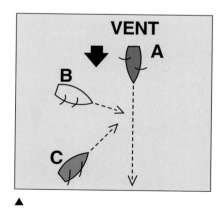

3° Si un voilier qui est bâbord amures (c'est-à-dire qui reçoit le vent de bâbord) voit un autre voilier au vent et ne peut déterminer avec certitude si cet autre voilier reçoit le vent de bâbord ou de tribord, le premier doit s'écarter de la route de l'autre.

Sur le croquis, B doit se déranger pour A et C. C se dérange pour A.

**PRIVILÉGIÉS ET NON PRIVILÉGIÉS** — Le Règlement international utilise le terme « privilégié » (et non « prioritaire ») pour désigner un navire de la route duquel un autre navire doit s'écarter.

Les privilèges sont de deux sortes :

— ceux résultant de l'application des règles de circulation ;

— ceux résultant de la nature du navire, qui peut réduire ses capacités de manœuvre.


**PRIVILÈGES RÉSULTANT DES RÈGLES DE CIRCULATION** — On les a étudiés pages 49 et 50.

— Le navire rattrapé est privilégié ; c'est le rattrapant qui doit manœuvrer.

— Le navire qui arrive sur tribord d'un autre navire est privilégié (s'ils sont du même rang. Voir le tableau de la page 54. Sinon, le privilège qui joue est celui attribué en fonction de la nature des navires, qu'on va voir au paragraphe suivant).

— Ces deux cas ne s'appliquent pas aux voiliers entre eux qui font l'objet d'une règle particulière étudiée à la page précédente.


**PRIVILÈGES RÉSULTANT DE LA NATURE DES NAVIRES** — Des navires sont handicapés par une perte de leur capacité de manœuvre due à leurs caractéristiques, à des incidents ou à la nature de leurs travaux. Ils sont classés comme privilégiés mais leur handicap étant différent selon le cas, il existe une hiérarchie dans les privilèges. Un navire en action de pêche est privilégié par rapport à un voilier mais ne l'est pas par rapport à un navire à capacité de manœuvre restreinte.

Attention ! Ces privilèges cessent d'être valables lorsqu'ils sont contraires aux dispositions des règles :

9 — Circulation dans les chenaux étroits (page 45).

10 — Navigation dans les dispositifs de séparation de trafic (page 46).

13 — Privilégié rattrapant un autre navire (page 49).


Par ailleurs, les navires en action de pêche, les voiliers et les navires à moteur doivent éviter de gêner les navires handicapés par leur tirant d'eau. C'est pourquoi ces derniers ont été insérés en 3e position dans le tableau de la page 54.

*Un navire de plaisance à moteur doit... (entre autres)*

S'écarter de la route d'un voilier     S'écarter de la route d'un navire en train de pêcher.

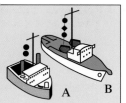

**Le navire non maître de sa manœuvre** (en A) est le plus privilégié : tous les navires doivent s'écarter de sa route.
**Le navire à capacité de manœuvre restreinte** (en B) vient au seconde rang dans l'ordre des privilégiés.

**Un navire en train de pêcher** et faisant route doit, dans la mesure du possible, s'écarter de la route :
— d'un navire qui n'est pas maître de sa manœuvre ;
— d'un navire à capacité de manœuvre restreinte.

Il doit éviter de gêner un navire handicapé par son tirant d'eau.

**Un navire à voile** faisant route doit s'écarter de la route :
— d'un navire non maître de sa manœuvre ;
— d'un navire à capacité de manœuvre restreinte ;
— d'un navire en train de pêcher.

Il doit éviter de gêner un navire handicapé par son tirant d'eau.

**Un navire à propulsion mécanique** faisant route doit s'écarter de la route :
— d'un navire qui n'est pas maître de sa manœuvre ;
— d'un navire à capacité de manœuvre restreinte ;
— d'un navire en train de pêcher ;
— d'un navire à voile.

Il doit éviter de gêner un navire handicapé par son tirant d'eau.

*Page suivante :*
— Tableau de la hiérarchie des privilèges.
— Manœuvres des navires non privilégié et privilégié.
— Conduite des navires par visibilité restreinte.

| Rang | HIÉRARCHIE DES PRIVILÈGES | Marques de jour | Feux en mâture |
|------|---------------------------|-----------------|----------------|
| 1 | **Navire non maître de sa manœuvre** | | |
| 2 | **Navire à capacité de manœuvre restreinte** | | |
| 3 | **Navire handicapé par son tirant d'eau**<br>(ne figure pas explicitement dans la liste des privilégiés) | | |
| 4 | **Navire en action de pêche** | ou | ou |
| 5 | **Voilier** | | ou<br>ou rien |
| 6 | **Navire à moteur, non compris dans les cas 1 à 4 ci-dessus**<br>(donc tous les navires de plaisance à moteur faisant route) | | |

**MANŒUVRE DU NAVIRE NON PRIVILÉGIÉ** (règle 16). — Tout navire qui est tenu de s'écarter de la route d'un autre navire doit, autant que possible, manœuvrer de bonne heure et franchement de manière à s'écarter largement.

**MANŒUVRE DU NAVIRE PRIVILÉGIÉ** (règle 17). — Le navire privilégié doit maintenir son cap et sa vitesse.

Néanmoins, ce navire peut manœuvrer pour éviter l'abordage aussitôt qu'il lui paraît évident que l'autre navire (tenu de se déranger) n'effectue pas les manœuvres appropriées prescrites par le Règlement.

Quand, pour une cause quelconque, le navire privilégié se trouve tellement près de l'autre que l'abordage ne peut être évité par la seule manœuvre du navire qui doit laisser la route libre, il doit de son côté manœuvrer au mieux pour aider à éviter l'abordage.

Le navire privilégié qui manœuvre parce que l'autre ne le fait pas doit éviter de venir sur bâbord lorsque l'autre navire est bâbord à lui.

Cette règle 17 ne saurait dispenser le navire qui doit laisser la route libre de l'obligation de s'écarter de la route de l'autre navire.

A noter que cette règle 17 est importante en ce sens qu'elle ne dispense pas le navire privilégié de manœuvrer si l'autre ne le fait pas ou le fait mal.

### CONDUITE DES NAVIRES PAR VISIBILITÉ RÉDUITE (règle 19)

Tout navire doit naviguer à une vitesse de sécurité adaptée aux circonstances et aux conditions de visibilité réduite et tenir ses machines prêtes à manœuvrer immédiatement.

Tout navire qui entend dans une direction qui lui paraît être sur l'avant du travers le signal de brume d'un autre navire doit réduire sa vitesse au minimum nécessaire pour maintenir son cap. Il doit, si nécessaire, casser son erre et naviguer avec une extrême précaution jusqu'à ce que le risque d'abordage soit passé.

# VÉHICULES NAUTIQUES A MOTEUR

### (scooters des mers, etc...)

Les règles de barre et de route des navires à propulsion mécanique s'appliquent aux véhicules nautiques à moteur. Ils doivent donc s'écarter des navires : non maîtres de leur manœuvre – à capacité de manœuvre restreinte – handicapés par leur tirant d'eau – en train de pêcher – voiliers et planches à voile. Ils doivent également s'écarter de tout autre navire ou véhicule nautique à moteur arrivant sur leur droite.

Leur navigation est autorisée uniquement de jour et ils ne peuvent évoluer qu'à une distance maximale de 1 mille à compter de la limite des eaux.

Leur navigation dans la bande des 300 mètres est réglementée par le Préfet Maritime. En Méditerranée, circulation uniquement à l'intérieur des chenaux ou de zones balisées à cet effet. En l'absence de balisage, interdiction d'évolution dans la bande des 300 mètres, le transit seul vers le large, en ligne droite, étant autorisé, à 5 nœuds maximum.

# SKI NAUTIQUE ET AUTRES FORMES DE TRACTION

## SKI NAUTIQUE

Deux personnes doivent obligatoirement se trouver à bord du canot tracteur et 'une de ces deux personnes doit se consacrer exclusivement à la conduite de 'embarcation.

Les personnes titulaires du Brevet d'État de ski nautique ne sont pas soumises à cette disposition.

Des couloirs balisés sont prévus pour les départs et arrivées, que les baigneurs et es autres embarcations ne doivent pas traverser.

Les canots tracteurs et les skieurs ne doivent pas s'approcher, lors de leurs évolutions, des baigneurs et des autres embarcations. Tenir compte que le skieur ne suit pas toujours la même trajectoire que le bateau qui le tire.

En cas de chute du skieur, la personne à bord, préposée à la surveillance, doit renter immédiatement la corde de la remorque pour éviter qu'elle ne blesse des baigneurs à proximité. Le pilote de l'embarcation doit s'approcher du skieur sans mettre le cap sur lui, stopper ou débrayer à quelques mètres de lui. Le skieur regagnera le bord à la nage ou à l'aide d'un filin qui lui sera lancé.

## ENGINS PNEUMATIQUES TRACTÉS

Deux personnes doivent se trouver à bord du navire tracteur, l'une se consacrant à la conduite et l'autre à la surveillance de l'engin tracté et au largage éventuel de la remorque.

Le remorqueur doit pouvoir larguer rapidement la remorque et doit arborer une flamme fluorescente orange de 2 mètres, très visible. L'engin tracté doit être d'une couleur vive, de même que la remorque flottante. Les personnes embarquées sur l'engin tracté doivent porter des gilets de sauvetage de couleur vive.

Le navire tracteur doit pouvoir éventuellement embarquer à son bord la totalité des personnes transportées par l'engin tracté, en plus de son équipage, et disposer d'un moyen d'accès adéquat.

## PLANCHES
## A VOILE

En ce qui concerne les règles de barre et de route, les planches à voile sont assimilées aux voiliers et à elles s'appliquent donc les règles applicables aux voiliers.

Leur usage est réglementé par les arrêtés des Préfets Maritimes qui interdisent leur navigation au-delà d'un mille de la côte.

Leur utilisation peut faire l'objet d'interdictions locales. Se renseigner.

Quelques recommandations :

— Vérifier la météo, les heures de marée.

— Pour quitter le rivage, utiliser les chenaux balisés, quand ils existent.

— Dans la zone des 300 mètres, ne pas dépasser 5 nœuds (9 km/h).

— Ne pas s'éloigner à plus de 1 mille de la côte (1852 mètres).

— Naviguer à deux ou plus. Rester visible.

— Ne jamais quitter la planche en cas de difficulté.

— Le gilet de sauvetage accroît votre sécurité.

— La planche doit être munie d'un système de remorquage à l'avant.

— Porter une combinaison isothermique.

— Le système d'attache du gréement à la planche doit être fiable. En cas de difficulté, ne dégréez pas votre voile pour essayer de rentrer ; laissez-la dans l'eau, elle fera office d'ancre flottante et ralentira votre dérive.

# TEST DE CONTRÔLE N° 1

Solutions page 127

## BALISAGE

1 - Quels sont les 5 types de marques utilisés en balisage ?

2 - Décrivez une bouée latérale bâbord (couleur, voyant, feu).

3 - Qu'appelle-t-on « danger nouveau » ?

4 - De nuit, au large, vous voyez un feu blanc au rythme suivant :
— 6 scintillements rapides + 1 éclat long + une période d'obscurité.
Vous faisiez route à l'Ouest et vous apercevez ce feu sur tribord. Quel cap adoptez-vous ?

5 - Dans une rade, vous apercevez un feu jaune à éclats. Qu'indique-t-il ?

6 - Dans un estuaire, de nuit, vous voyez un feu blanc isophase.
Que signale-t-il ?

7 - Entrant au port, sur quel bord allez-vous laisser une bouée rouge avec bande horizontale verte et voyant cylindrique rouge ?

8 - Faisant route au Sud, vous apercevez, légèrement à bâbord, un feu blanc à 3 scintillements. Quel est ce feu ? Que faites-vous ? Indiquez clairement si vous venez sur bâbord, sur tribord ou si vous continuez votre route.

## SIGNAUX

9 - Dans une rade et dans la brume, vous entendez une sonnerie de cloche pendant 5 secondes toutes les minutes. Quel est le navire qui émet ce signal ?

10 - A l'entrée d'un port, la tour des signaux montre trois feux rouges à éclats, superposés. Que signifie ce signal ?

11 - En mer, vous êtes en vue d'un navire qui montre un pavillon carré au-dessus d'une boule. Que signifie ce signal et que faites-vous ?

12 - Quel signal sonore un navire remorqué fait entendre par temps bouché ?

## RÈGLES DE BARRE ET DE ROUTE

13 - Vous rattrapez un autre navire à moteur, que devez-vous faire ?

14 - Comment doit-on traverser un dispositif de séparation de trafic ?

15 - Vous apercevez, droit devant vous, un navire qui fait une route directement opposée à la vôtre. Quelle manœuvre allez-vous accomplir ?

16 - Vous êtes en vue d'un autre navire mais vous ne pouvez pas déterminer avec certitude si vous êtes rattrapant. Que devez-vous faire ?

17 - Quelle est la définition d'un navire faisant route ?

18 - Dans quelle circonstance peut-on considérer qu'il y a risque d'abordage ?

19 - Lorsque deux navires à moteur font des routes qui se croisent, quel navire doit s'écarter de la route de l'autre ?

# FEUX ET MARQUES DES NAVIRES

H. VAGNON

La connaissance des feux (la nuit) et des marques (le jour) montrés par les navires permet de déterminer à la fois :
— s'ils sont en route ou au mouillage ;
— s'ils naviguent au moteur ou à la voile ;
— s'il s'agit de pêcheurs, de navires à capacité de manœuvre restreinte, etc. ;
— si on est tenu ou non de se déranger pour eux ;
— quelle route ils suivent et, par voie de conséquence, quelle manœuvre adopter, etc.

Feux et marques de jour constituent la partie C du Règlement international dont le texte complet se trouve à la fin de ce code ; pour le plaisancier qui veut en savoir davantage que ce qui est demandé au permis, la pratique des feux des navires est décrite dans un ouvrage édité aux Éditions du Plaisancier *Feux des navires et Règles de barre* par Yves Kerdavid.

**LES RÈGLES CONCERNANT LES FEUX** doivent être observées du coucher au lever du soleil (règle 20). Les feux doivent être également montrés de jour par visibilité réduite et peuvent être montrés dans toutes les autres circonstances où cette mesure est jugée nécessaire.

Les règles concernant les marques doivent être observées de jour.

**DEUX CATÉGORIES** de feux peuvent être distinguées :
— *Feux que porte un navire en route*. Ce sont les feux de base. Ils sont destinés à renseigner sur la route suivie par le navire. Grâce à :
- la disposition de ces feux,
- leur couleur,
- leur secteur (c'est-à-dire l'arc d'horizon sur lequel est visible un feu),
on peut deviner la direction que suit le navire et agir en conséquence (pour éviter un abordage, par exemple).

— *Feux de travail, de types de navires, ou de situations particulières*. Ce sont les autres feux destinés à signaler une particularité d'un navire qui le rend moins ou pas manœuvrant, ou nécessite des précautions à prendre à son égard.

Il est logique qu'ils soient visibles sur tout l'horizon ; selon le cas, ils sont bien dégagés dans la mâture, ou sur un côté, ou dans une direction qu'il convient de signaler.

# LES DIFFÉRENTS FEUX (règle 21)

## FEUX DE NAVIRES EN ROUTE ▰▰▰▰▰▰

— *Les feux de tête de mât* sont blancs et ne sont montrés que par les navires à propulsion mécanique en route. Ils sont visibles sur un arc d'horizon de 225° (20 quarts) depuis l'avant jusqu'à 22,5 degrés (2 quarts) sur l'arrière du travers de chaque bord. (Voir le croquis ci-contre pour la compréhension de « l'arrière du travers »).

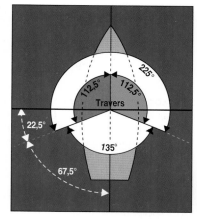

— *Les feux de côté* (vert à tribord, rouge à bâbord) sont visibles sur 112,5 degrés depuis l'avant jusqu'à 22,5 degrés (2 quarts) sur l'arrière du travers à tribord ou à bâbord selon le cas. Ils peuvent être combinés en un seul fanal à bord des bateaux à moteur de moins de 20 mètres.

— *Le feu de poupe* est blanc. Il est visible sur 135 degrés (12 quarts), soit 67,5 degrés (6 quarts) de chaque bord à partir de l'arrière.

Feux de côté et feu de poupe sont toujours allumés (ou éteints) en même temps ainsi, éventuellement, que le feu de tête de mât.

— *Le feu de remorquage* est jaune et a les mêmes caractéristiques que le feu de poupe.

## FEUX DE TRAVAIL, DE TYPES DE NAVIRES OU DE SITUATIONS PARTICULIÈRES ▰▰▰▰▰▰▰▰▰▰▰▰

— *Un feu visible sur tout l'horizon* (blanc, vert, rouge ou jaune) a un secteur de 360°.
— *Un feu à éclats* est un feu à éclats réguliers dont le rythme est de 120 éclats au plus par minute.

Dans la suite de ce chapitre, pour plus de clarté, il ne sera pas rappelé chaque fois les couleurs et les secteurs des feux de tête de mât, de côté et de poupe, qui sont toujours les mêmes. Ces couleurs et ces secteurs sont donnés une dernière fois dans le tableau ci-après de la portée lumineuse des feux.

## PORTÉE LUMINEUSE DES FEUX (règle 22) ET RÉCAPITULATION

| | Secteurs | Navires de longueur égale ou supérieure à 50 m | Navires de longueur égale ou supérieure à 12 mètres mais inférieure à 50 m | Navires de longueur inférieure à 12 m |
|---|---|---|---|---|
| Feu de tête de mât (blanc) | 225° | 6 milles | 5 milles (1) | 2 milles |
| Feu de côté (vert tribord, rouge bâbord) | 112°5 | 3 milles | 2 milles | 1 mille |
| Feu de poupe (blanc) | 135° | 3 milles | 2 milles | 2 milles |
| Feu de remorquage (jaune) | 135° | 3 milles | 2 milles | 2 milles |
| Feu visible sur tout l'horizon (blanc, vert, rouge, jaune) | 360° | 3 milles | 2 milles | 2 milles |
| Feu blanc visible sur tout l'horizon des navires ou objets remorqués qui sont partiellement submergés et difficiles à apercevoir : 3 milles | | | | |
| (1) Si la longueur du navire est inférieure à 20 mètres : 3 milles. | | | | |

**COULEUR ET DIMENSIONS DES MARQUES DE JOUR.** — Elles sont noires. Les boules ont 0,6 mètre de diamètre, les cônes 0,6 mètre de diamètre de base, les cylindres 0,6 mètre de diamètre. Ce sont des dimensions minima qui peuvent néanmoins être réduites pour les navires de moins de 20 mètres de long.

Dans les pages qui suivent, vous allez trouver en détail les feux et les marques selon chaque type de navire.

Vous remarquerez qu'à l'exception des feux blancs de tête de mât (à secteur de 225°), tous les autres feux **en mâture et visibles sur tout l'horizon** désignent des navires privilégiés à des titres divers, que nous avons étudiés au chapitre précédent.

## NAVIRES A PROPULSION MÉCANIQUE FAISANT ROUTE (règle 23)

Ceux de 50 mètres et plus doivent montrer :
— un feu de tête de mât à l'avant ;
— un second feu de tête de mât à l'arrière du premier et plus haut que celui-ci ;
— des feux de côté ;
— un feu de poupe.

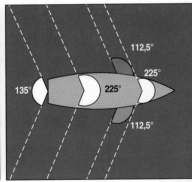

Navire de plus de 50 mètres, vu par tribord. On aperçoit les deux feux de tête de mât et (plus difficilement) le feu vert de côté.

Autre navire de plus de 50 mètres, vu par bâbord. Deux feux de tête de mât et feu rouge de côté.

Les navires de moins de 50 mètres ne sont pas tenus de montrer le 2e feu de tête de mât mais ils peuvent le faire. ▶

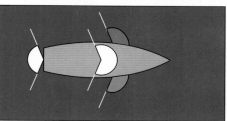

A bord des navires à moteur de moins de 20 mètres, les feux de côté peuvent être combinés en un seul fanal. ▼

Les navires à moteur de moins de 12 mètres peuvent ne montrer qu'un feu blanc visible sur tout l'horizon (couvrant donc les secteurs du feu de tête de mât 225° et du feu de poupe 135°) et des feux de côté. ▼

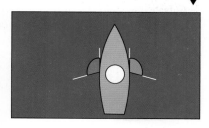

Un navire à propulsion mécanique de moins de 7 mètres et dont la vitesse maximale ne dépasse pas 7 nœuds peut ne montrer qu'un feu blanc visible sur tout l'horizon. Mais il peut aussi montrer, si c'est possible, des feux de côté (photo ci-contre). ▶

## REMORQUAGE ET POUSSAGE (règle 24).

### REMORQUAGE

Un navire à propulsion mécanique en train de remorquer doit montrer :
— deux feux de tête de mât superposés ;
— des feux de côté ;
— un feu de poupe ;
— un feu de remorquage placé au-dessus du feu de poupe.

Et si le remorqueur fait plus de 50 mètres, un autre feu de mât placé à l'arrière des premiers et plus haut que ceux-ci.

Précisons bien que le feu de remorquage (jaune) n'est allumé que dans le seul cas du remorquage à la traîne (croquis ci-contre).
Un navire remorqué doit montrer :
— des feux de côté (non visibles sur le croquis) ;
— un feu de poupe.

(La disposition et les secteurs des feux du navire remorqué figurent dans le croquis ci-dessous).

Si le train de remorque (de l'arrière du remorqueur à l'arrière du dernier navire remorqué, en AB sur le croquis ci-après) dépasse 200 mètres, le remorqueur doit montrer :

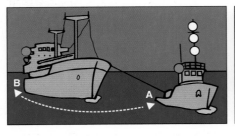

—trois feux de tête de mât (au lieu de deux) superposés ;
— des feux de côté ;
— un feu de poupe ;
— un feu de remorquage.

De jour, le même remorqueur montre une marque biconique, ainsi que le ou les navires remorqués.

Un navire ou objet remorqué partiellement submergé et difficile à apercevoir (ou un ensemble de ces navires ou objets) doit montrer :

— Si sa largeur est inférieure à 25 mètres et sa longueur inférieure à 100 mètres :
deux feux blancs visibles sur tout l'horizon (un à l'avant, l'autre à l'arrière).

— Si la largeur est égale ou supérieure à 25 mètres, deux feux blancs supplémentaires visibles sur tout l'horizon et d'autres feux semblables si la longueur est supérieure à 100 mètres (voir Règle 24 g).

De jour, le navire ou l'objet remorqué partiellement submergé montre une marque biconique à l'arrière, et, si le train de remorque dépasse 200 mètres, une autre marque biconique à l'avant.

Lorsque, pour une raison suffisante, le navire ou l'objet remorqué est dans

l'impossibilité de montrer ses feux ou marques, toutes les mesures doivent être prises pour l'éclairer.

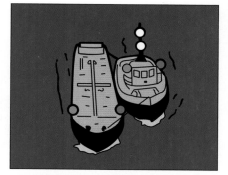

## REMORQUAGE À COUPLE

Un navire à propulsion mécanique en train de remorquer à couple doit montrer :
— deux feux de tête de mât superposés ;
— des feux de côté ;
— un feu de poupe.
S'il fait plus de 50 mètres, il doit en plus montrer un autre feu de tête de mât, à l'arrière des premiers, et plus haut que ceux-ci.
Le navire remorqué doit montrer :
— à son extrémité avant, des feux de côté ;
— un feu de poupe.

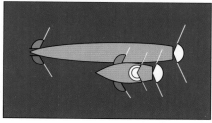

## POUSSAGE :
## UNITÉ COMPOSITE (ENSEMBLE RIGIDE) ▬▬▬▬▬▬▬▬▬▬

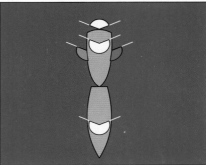

Un navire en train de pousser et un navire poussé, formant un ensemble rigide, doivent être considérés comme un navire à propulsion mécanique et montrer les feux prescrits par la règle 23 (pages 60 et 61). Ci-dessus, unité composite de plus de 50 mètres (avec, par conséquent, 2 feux blancs de tête de mât).

## POUSSAGE :
## ENSEMBLE NON RIGIDE ▬▬▬▬▬▬▬▬▬▬▬

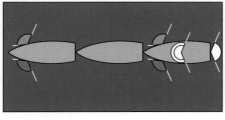

Un navire à propulsion mécanique en train de pousser, quand il ne s'agit pas d'une unité composite, doit montrer :
— deux feux de tête de mât superposés ;
— des feux de côté ;
— un feu de poupe.
S'il fait plus de 50 mètres, il doit en plus montrer un autre feu de tête de mât, à l'arrière des premiers et plus haut que ceux-ci.
Le navire poussé en avant doit montrer :
— à son extrémité avant, des feux de côté.

# NAVIRES A VOILE FAISANT ROUTE ET NAVIRES A L'AVIRON (règle 25)

Un navire à voile qui fait route doit montrer :
— des feux de côté ;
— un feu de poupe.

**Il n'a pas de feu de tête de mât blanc :** c'est ce qui le différencie du navire à propulsion mécanique.

Voir page suivante, la tolérance admise pour les voiliers de moins de 7 mètres.

Sur un voilier de moins de 20 mètres ces trois feux peuvent être réunis en un seul fanal placé au sommet ou à la partie supérieure du mât.

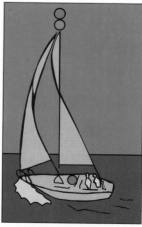

En plus des feux de côté et du feu de poupe, un voilier peut montrer, au sommet du mât, un feu rouge et un feu vert superposés, visibles sur tout l'horizon.

Toutefois, ces deux feux ne peuvent pas être montrés en même temps que le fanal tricolore étudié au paragraphe précédent.

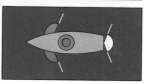

Un navire à l'aviron peut montrer des feux de côté et de poupe mais, s'il ne le fait pas, il doit être prêt à montrer, pour éviter tout abordage, une lampe électrique ou un fanal à feu blanc.

La même tolérance est valable pour les voiliers de moins de 7 mètres.

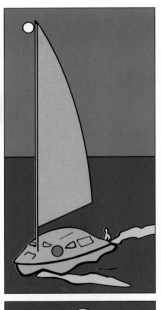

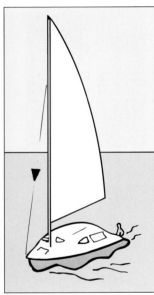

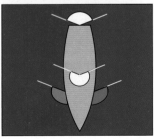

Un voilier faisant route simultanément à la voile et au moteur est assimilé à un bateau à propulsion mécanique et doit montrer :
— un feu de tête de mât ;
— des feux de côté ;
— un feu de poupe.

De jour, il doit montrer un cône pointe en bas, à l'avant et à l'endroit le plus visible.

## NAVIRES DE PÊCHE (règle 26)

Lorsqu'il fait route ou lorsqu'il est au mouillage, un navire en train de pêcher ne doit montrer que les feux et marques suivants. (Lorsqu'il n'est pas en train de pêcher, il montre simplement les feux et marques des navires de sa longueur).

## FEUX D'UN NAVIRE
## EN TRAIN DE CHALUTER

(c'est-à-dire de tirer dans l'eau un chalut ou autre engin de pêche).
Il doit montrer, de nuit :
— deux feux superposés : vert sur blanc, visibles sur tout l'horizon ;
— un feu de tête de mât, plus haut que le feu vert précédent et à l'arrière de celui-ci. Les chalutiers de moins de 50 mètres ne sont pas tenus de montrer ce feu ;
— feux de côté et feu de poupe, lorsqu'il a de l'erre.

Chalutier avec erre, de plus de 50 mètres, avec 2 feux de tête de mât. Vu par tribord.

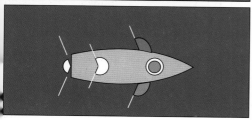

Chalutier de moins de 50 mètres avec erre, vu par tribord.

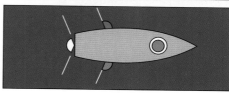

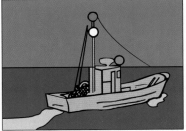

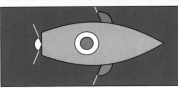

## FEUX D'UN NAVIRE EN TRAIN DE PÊCHER

(autre qu'un navire en train de chaluter).

Ce navire doit montrer, de nuit :
— deux feux superposés, rouge sur blanc, visibles sur tout l'horizon ;
— feux de côté et feu de poupe, s'il a de l'erre.

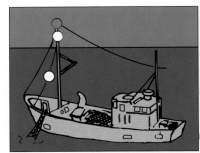

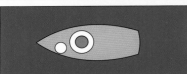

Si son engin de pêche est déployé sur une distance de plus de 150 mètres, il doit montrer en outre un feu blanc visible sur tout l'horizon dans l'alignement de l'engin. (Le navire ci-contre n'a pas d'erre).

## MARQUES DE JOUR DES NAVIRES EN TRAIN DE PÊCHER

Un navire en train de pêcher doit montrer, de jour, une marque formée de deux cônes superposés réunis par la pointe (en A).

Un navire de moins de 20 mètres en train de pêcher peut, au lieu de cette marque, montrer un panier (en B).

Si son engin est déployé sur plus de 150 mètres à partir du navire, celui-ci doit montrer, en outre, un cône la pointe en haut, dans l'alignement de l'engin. Ce cône ne concerne pas les chalutiers.

Marque de jour d'un navire de pêche.
(Ce navire, qui est au port, aurait dû amener cette marque qui ne doit être montrée que lorsqu'il est en action de pêche).

Le panier, sur les navires de pêche de moins de 20 mètres, n'est pas toujours très visible...

# SIGNAUX SUPPLÉMENTAIRES DES NAVIRES DE PÊCHE PÊCHANT À PROXIMITÉ LES UNS DES AUTRES

(annexe II)

Ces signaux supplémentaires doivent être placés plus bas que les feux de mâture vert-blanc ou rouge-blanc, être visibles sur tout l'horizon à un mille au moins (mais cette portée doit être inférieure à la portée des feux normaux du tableau de la page 59).

Chalutier (de moins de 50 mètres, avec erre, vu sur bâbord) en train de jeter son chalut : 2 feux blancs superposés.

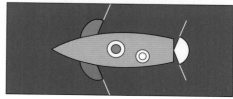

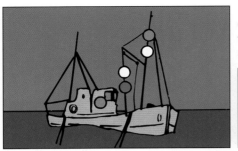

Chalutier (avec erre, vu sur tribord) en train de haler son chalut : un feu blanc au-dessus d'un feu rouge.

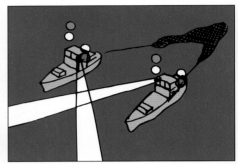

Chalutier (sans erre, vu sur tribord) avec train de pêche (chalut) retenu par un obstacle : deux feux rouges superposés.

Les chalutiers pêchant en couple (« pêche au bœuf ») dirigent leur projecteur sur l'avan[t] l'un de l'autre et montrent les mêmes feu[x] supplémentaires selon le cas. De jour ils peu[-] vent montrer les deux cônes superposé[s] (page précédente) ou le pavillon T (tango) (Voir le code international de signaux, pag[e] 133). Ci-dessus, sans erre, halant leur chalut.

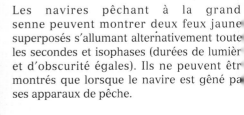

Les navires pêchant à la grand[e] senne peuvent montrer deux feux jaune[s] superposés s'allumant alternativement toute[s] les secondes et isophases (durées de lumièr[e] et d'obscurité égales). Ils ne peuvent êtr[e] montrés que lorsque le navire est gêné pa[r] ses apparaux de pêche.

# NAVIRES NON MAÎTRES DE LEUR MANŒUVRE (règle 27)

Les navires de moins de 12 mètres ne sont pas tenus de montrer les feux ci-après.

Un navire qui n'est pas maître de sa manœuvre doit montrer, de nuit :
— deux feux rouges superposés, visibles sur tout l'horizon ;
— des feux de côté et un feu de poupe, s'il a de l'erre.

De jour, il doit montrer deux boules (ou marques analogues) superposées (soulignées sur le croquis de droite par une flèche jaune).

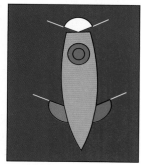

Bâtiment non maître de sa manœuvre, sans erre.
Sur cette vue, prise au crépuscule, il porte encore ses marques de jour (deux ballons) qu'il va amener et il a déjà allumé ses deux feux rouges superposés.

**NAVIRES A CAPACITÉ DE MANŒUVRE RESTREINTE,** autres que navires effectuant des opérations de déminage (règle 27).

Les navires de moins de 12 mètres ne sont pas tenus de montrer les feux prescrits sur ces deux pages 72 et 73 à l'exception de ceux participant à des opérations de plongée.

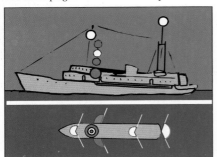

Un navire à capacité de manœuvre restreinte doit montrer :

◄ De nuit :
— trois feux superposés : rouge - blanc - rouge visibles sur tout l'horizon ;
— feux de tête de mât ;
— feux de côté ; } s'il a de l'erre
— feu de poupe

◄ De jour :
— trois marques superposées, les marques supérieure et inférieure étant des boules et celle du milieu un bicône.

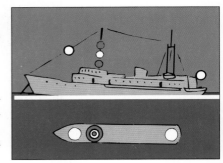

Au mouillage, la nuit : ►
— trois feux superposées : rouge - blanc - rouge, visibles sur tout l'horizon ;
— un ou deux feux de mouillage selon la longueur du bâtiment (voir page 75).

Au mouillage, de jour : ►
— trois marques superposées : boule - bicône - boule ;
— une boule à l'avant.

◄ **Plongée sous-marine.** Un navire participant à des opérations de plongée et qui ne peut, en raison de ses dimensions, montrer les marques de navire à capacité de manœuvre restreinte, doit montrer une reproduction rigide du pavillon « A » du code international des signaux, et, la nuit, trois feux superposés visibles sur tout l'horizon : rouge - blanc - rouge.

**Lorsqu'il existe une obstruction,** un navire à capacité de manœuvre restreinte en train de draguer (ou d'effectuer des opérations sous-marines) doit montrer, en plus des feux et marques décrits à la page précédente :

De nuit :
— deux feux rouges superposés visibles sur tout l'horizon, pour indiquer le côté où se trouve l'obstruction ;
— deux feux verts superposés, visibles sur tout l'horizon, pour indiquer le côté sur lequel un autre navire peut passer.

De jour :
— les feux rouges signalant le côté de l'obstruction sont remplacés par des boules superposées ;
— les feux verts signalant le côté libre sont remplacés par des bicônes superposés.

Au mouillage, le navire doit montrer tous ces feux à la place des feux et marques de mouillage qui vont être étudiés plus loin, page 75.

**Un navire en train d'effectuer une opération de remorquage qui rend difficile un changement de cap** doit montrer, en plus des feux et marques de remorquage déjà étudiés pages 62 à 64, les feux et marques des navires à capacité de manœuvre restreinte.

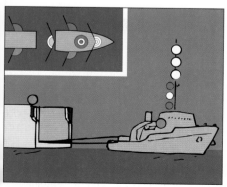

Un navire effectuant des opérations de déminage doit montrer, outre les feux prescrits pour les navires à propulsion mécanique faisant route (feux de tête de mât, feux de côté, feu de poupe) :
— trois feux verts visibles sur tout l'horizon.

De jour, ces feux sont remplacés par des boules. Ces feux et marques disposés à la tête du mât de misaine et à chaque extrémité de la vergue de misaine indiquent qu'il est dangereux de s'approcher à moins de 1 000 mètres du navire qui effectue le déminage.

## NAVIRES HANDICAPÉS PAR LEUR TIRANT D'EAU (règle 28).

Un navire handicapé par son tirant d'eau peut, outre les feux prescrits pour les navires à propulsion mécanique faisant route (feux de tête de mât, feux de côté, feu de poupe), montrer :
— de nuit, trois feux rouges superposés, visibles sur tout l'horizon ;
— de jour, une marque cylindrique (soulignée sur le croquis par une flèche jaune).

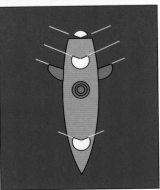

**BATEAUX-PILOTES** (règle 29) : voir page 77

## NAVIRES AU MOUILLAGE
(règle 30)

Un navire au mouillage doit montrer, **de nuit** :
— à l'avant un feu blanc visible sur tout l'horizon ;
— à l'arrière ou près de l'arrière, plus bas que le feu blanc déjà cité, un autre feu blanc visible sur tout l'horizon. S'il est d'une longueur égale ou supérieure à 100 mètres, ses ponts doivent être illuminés.

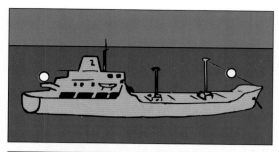

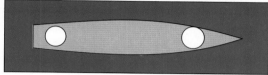

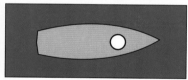

Un navire de moins de 50 mètres peut ne montrer qu'un seul feu blanc (visible sur tout l'horizon).

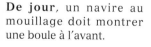

**De jour**, un navire au mouillage doit montrer une boule à l'avant.

**Les navires de moins de 7 mètres,** au mouillage, ne sont pas tenus de montrer les feux et marques de cette règle 30, sauf s'ils sont au mouillage dans un chenal étroit, une voie d'accès ou un ancrage, à proximité de ces lieux ou sur les routes habituellement fréquentées par d'autres navires.

## NAVIRES ÉCHOUÉS

(règle 30)

Un navire échoué doit montrer :
— le ou les feux d'un navire au mouillage ;
— à l'endroit le plus visible deux feux rouges superposés, visibles sur tout l'horizon.

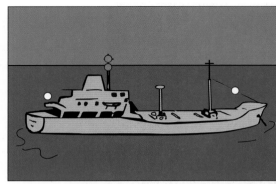

En comparant la figure ci-contre à celles de la page précédente, on voit claire-ment que les feux d'un navire échoué se composent de l'addition :
— des feux de mouillage, et
— des feux de navire non-maître de sa manœuvre (voir page 71).

Navire de moins de 50 mètres échoué. ▶

De jour, un navire échoué porte 3 boules noires sur une même ligne verticale (soulignées ci-contre par une flèche jaune).

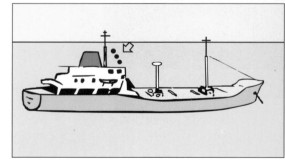

**Les navires de moins de 12 mètres**, échoués, ne sont pas tenus de montrer les 2 feux rouges superposés ou les 3 boules superposées.

**HYDRAVIONS** (règle 31) — Un hydravion ne pouvant montrer les feux et marques convenables doit en montrer se rapprochant le plus possible de ceux qui son prescrits.

**AÉROGLISSEURS** (rappel de la règle 23) — Un aéroglisseur exploité sans tirant d'eau doit, outre les feux des navires à propulsion mécanique (feux de tête de mât, feux de côté, feu de poupe, voir page 59), montrer un feu jaune à éclats visible sur tout l'horizon.

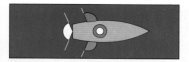

avec erre

## BATEAUX PILOTES (règle 29)

Un bateau pilote en service de pilotage doit montrer :

— à la tête du mât, deux feux superposés, blanc sur rouge, visibles sur tout l'horizon ;

— des feux de côté et le feu de poupe, s'il fait route.

Au mouillage, il montre les deux feux superposés blanc et rouge en même temps que le ou les feux de mouillage ou, de jour, la marque de mouillage (page 75).

S'il n'est pas en service, il doit montrer les feux ou marques prescrits pour les navires de sa longueur (pages 60/61).

## NAVIRES TRANSBORDANT DES MATIÈRES DANGEREUSES. (hydrocarbures, etc...). — Les feux et marques ci-après ne ressortissent pas au Règlement international pour prévenir les abordages en mer, mais les candidats sont parfois interrogés à leur sujet. Ils doivent être montrés dans les ports, ou en entrant au port.

De nuit : un feu rouge visible sur tout l'horizon

De jour : le pavillon B du code international des signaux. Voir page 133.

## AUTRES FEUX ET MARQUES (pour mémoire)

— Sous-marins français. Ils peuvent montrer, en plus de leurs feux normaux, un feu additionnel scintillant, de couleur jaune, visible sur tout l'horizon.

— Transbordeurs et car-ferries. Quand ils manœuvrent l'arrière le premier, en entrant ou en sortant d'un port, ils signalent cette manœuvre par deux boules noires hissées à la vergue, l'une à tribord, l'autre à bâbord. De nuit, ils inversent leurs feux de route suivant qu'ils font route en marche AV ou marche AR.

# RÉCAPITULATION DE FEUX DE NAVIRES
## Navires avec erre, vus par l'avant

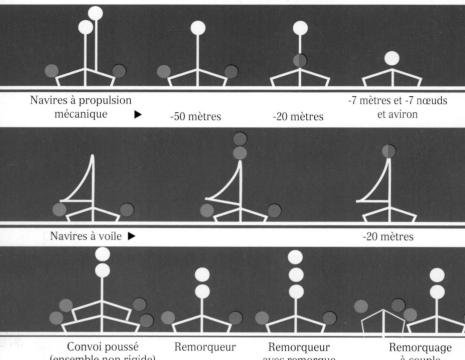

Navires à propulsion mécanique ▶

-50 mètres

-20 mètres

-7 mètres et -7 nœuds et aviron

Navires à voile ▶

-20 mètres

Convoi poussé (ensemble non rigide)

Remorqueur

Remorqueur avec remorque + 200 m

Remorquage à couple

Navire non maître de sa manœuvre

Navire à capacité de manœuvre restreinte -50 mètres

Navire handicapé par son tirant d'eau -50 mètres

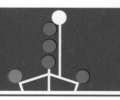

Bateau pilote

Navire en train de pêcher
Chalutier    Autre que chalutier

Navire de moins de 50 m en train d'effectuer des opérations de déminage

# RÉCAPITULATION DE MARQUES DE JOUR DE NAVIRES

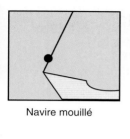

Navire mouillé

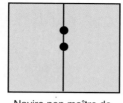

Navire non maître de
sa manœuvre

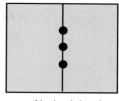

Navire échoué

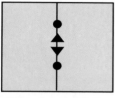

Navire à capacité de
manœuvre restreinte

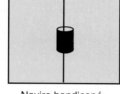

Navire handicapé
par son tirant d'eau

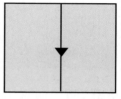

Voilier marchant à la
voile et au moteur

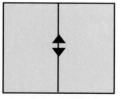

Remorqueur

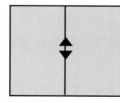

Navire remorqué

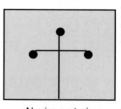

Navire en train
d'effectuer des opérations de
déminage

Convoi remorqué, avec remorque de + 200 mètres

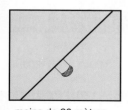

moins de 20 mètres

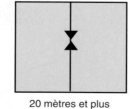

20 mètres et plus

Navires en train de pêcher

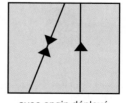

avec engin déployé
sur plus de 150 mètres
(**Nota** - Un chalutier ne
montre jamais le cône
pointe en haut).

*Les feux et marques des navires sont groupés en un tableau plastifié pouvant être affiché à bord.
Auteur : P. Wadoux. Les Éditions du Plaisancier.*

# VAGNON, C'EST AUSSI...

## DES OUVRAGES POUR FACILITER LA VIE À BORD

Pour que tous les gros et petits "bobos" des plaisanciers soient les moins amers possible.

Dans ce guide de la cuisine à bord, des recettes simples à réaliser en mer et des plus sophistiquées à réserver pour les mouillages.

## DES RÉCITS ET DES ROMANS

ECLATS D'OCÉANS de Danièle Romatet peut être conseillé à tous ceux qui exigent d'un livre dépaysement, réflexion, sensibilité... et qualités littéraires.

Ayant bien connu le milieu des mariniers rhodaniens dans les années soixante, Henri Vagnon a écrit "TON RHONE EST UN MIRAGE", une histoire d'amour au fil du fleuve.

# RÈGLES DE NAVIGATION ET DE SÉCURITÉ APPLICABLES À LA PLAISANCE

H. VAGNON

**CATÉGORIES ET LIMITATIONS DE NAVIGATION**
**CALCUL DE L'AUTONOMIE EN CARBURANT**
**PROTECTION DES PLONGEURS SOUS-MARINS**
**ORGANISATION DU SAUVETAGE EN MER**
**MATÉRIELS DE SÉCURITÉ**
**VÉHICULES NAUTIQUES À MOTEUR**
**MARQUES EXTÉRIEURES**

## CATÉGORIES DE NAVIGATION

Les matériels de sécurité, et notamment les matériels de sauvetage et de navigation sont d'autant plus importants que le navire s'éloigne davantage en mer.

Six catégories de navigation ont été prévues suivant la distance nécessaire pour gagner un abri :

**1ère catégorie** — Navigation n'entrant pas dans une des catégories ci-dessous.

**2e catégorie** — Navigation au cours de laquelle le navire ne s'éloigne pas de plus de 200 milles d'un abri.

**3e catégorie** — Navigation au cours de laquelle le navire ne s'éloigne pas de plus de 60 milles d'un abri.

**4e catégorie** — Navigation au cours de laquelle le navire ne s'éloigne pas de plus de 20 milles d'un abri.

**5e catégorie** — Navigation au cours de laquelle le navire ne s'éloigne pas de plus de 5 milles d'un abri.

**6e catégorie** — Navigation au cours de laquelle le navire ne s'éloigne pas de plus de 2 milles d'un abri.

Sont considérés comme abris les ports ou plans d'eau où le navire peut facilement trouver refuge et où les personnes embarquées peuvent être mises en sécurité.

**A NOTER QUE :**

— les embarcations à moteur d'une longueur égale ou inférieure à 5 mètres, ne peuvent naviguer qu'en 5e catégorie ;

— les dériveurs légers et les voiliers de sport à quille ne peuvent naviguer que de jour. Leur catégorie de navigation est la 6e, sauf s'ils sont surveillés par un accompagnement approprié. Toutefois, les voiliers de sport à quille de plus de 5 mètres peuvent effectuer une navigation de 5e catégorie sans accompagnement s'ils sont dotés des réserves de flottabilité requises pour les embarcations d'une longueur égale ou inférieure à 5 mètres.

# LIMITATIONS DE LA NAVIGATION

Les planches à voile ne peuvent s'éloigner à plus de 1 mille. Les dériveurs et les petites embarcations immatriculés ne peuvent s'éloigner à plus de 2 milles.

Rappelons que la possession de la « carte mer » n'autorise qu'une navigation de jour et à 5 milles maximum d'un abri.

Les « véhicules nautiques à moteur » (scooters des mers, motos de mer, planches à moteur, etc...) ne peuvent évoluer que de jour et ne doivent pas s'éloigner à plus d'un mille de la limite des eaux.

Ils ne peuvent être pilotés par des mineurs de moins de 15 ans. Un mineur de plus de 15 ans ne peut piloter que sous le contrôle effectif du locataire ou du propriétaire du véhicule nautique à moteur.

**ZONES INTERDITES.** — Elles sont essentiellement de caractère local et le plaisancier devra se renseigner sur place. En général, il s'agit de :

— zones de tirs effectués par l'Autorité Militaire (pendant la durée de ces tirs seulement) ;
— zones interdites aux bateaux à moteur le long de plages (des couloirs balisés permettent d'accéder au rivage, voir plus loin) ;
— zones de mouillage interdit ;
— zones de sécurité autour des plateformes de forage.

## LIMITATION DE VITESSE

A l'intérieur d'une bande de 300 mètres à compter de la limite des eaux, la vitesse des bateaux à moteur (y compris les véhicules nautiques à moteur) est limitée à 5 nœuds (9 kilomètres à l'heure).

La bande des 300 mètres n'est pas toujours balisée. Sinon, elle est balisée par des bouées sphériques jaunes, assez éloignées les unes des autres.

Des chenaux traversiers, qui peuvent avoir de 25 à 100 mètres de large, interdits aux baigneurs, peuvent être tracés à travers la bande littorale des 300 mètres pour l'accès au rivage des bateaux à moteur et la pratique du ski nautique pour les départs et les arrivées (voir dessin de la page 28) au-delà des 5 nœuds.

A l'entrée des ports, la vitesse est réglementée et cette vitesse est, la plupart du temps, bien indiquée aux usagers (3 ou 5 nœuds, générale- ment).

Au-delà des 300 mètres, il existe de nombreuses zones à forte fréquentation où la vitesse est réglementée. Par exemple, en Méditerranée : archipel de Port-Cros, rade de Villefranche, îles de Lérins, baie de Cannes, golfe de Saint-Tropez, plages de Ramatuelle, où la vitesse est limitée à 5, 10 ou 12 nœuds selon le cas. Il convient de se renseigner sur place.

En dehors de la bande des 300 mètres et des zones à vitesse limitée, la vitesse est libre au large. Mais nous devons respecter les règles de barre et de route du Règlement international pour pré- venir les abordages en mer et notamment celles qui concernent la conduite des navires par visibilité réduite (dans la brume, naviguer lentement, etc... Voir page 54).

## COMMENT DÉTERMINER SA VITESSE

Sans loch ou speedomètre, on peut s'habituer à déterminer la vitesse lorsqu'on passe près d'un point fixe tel qu'une bouée ou un engin flottant lancé à l'avant du navire. Il suffit de mesurer le temps T mis pour passer de toute la longueur L du navire devant la bouée ou l'objet. La vitesse V est égale à $\frac{L}{T}$ x 3600. Elle est à trans- former évidemment en nœuds (1 km/heure = 0,539 nœud).

# CALCUL DE L'AUTONOMIE EN CARBURANT

L'autonomie en carburant revêt une importance très grande pour une navigation en mer et vous risquez de trouver, dans le questionnaire par Q.C.M. de l'épreuve théorique de navigation une question s'y rapportant (voir un exemple page 96). Étudiez donc attentivement les deux pages qui suivent.

∇

On n'appareille jamais sans connaître la quantité de carburant dans le réservoir. Mesurez à la jauge avec le bateau droit, sans gîte, si votre installation n'est pas équipée d'une jauge électrique.

Toute sortie doit être préparée en fonction de la longueur du trajet prévu et du régime auquel sera soumis votre moteur. On consomme moins en pêche à 3 nœuds durant 10 heures qu'à pleine vitesse durant le même laps de temps... En marchant plus vite, on consomme davantage à l'heure et on parcourt une distance plus petite avec la même quantité de combustible.

De même, la consommation horaire sera plus importante si vous devez naviguer contre le courant ou contre le vent. Ces éléments étant difficiles à estimer avant l'appareillage, prévoir une réserve de 30 %.

30 % de quoi ?
— 30 % de la consommation prévue ?
— ou 30 % de la quantité de carburant contenue dans le réservoir au départ ?

Selon l'un ou l'autre cas, on aboutit à des différences sensibles. Nous conseillons la première formule : 30 % de ce qu'on doit consommer normalement. De ce fait, si cette quantité consommée est égale à 1, la réserve sera égale à 0,30, la quantité totale de carburant étant donc de 1,30 au départ. C'est ce chiffre de 1,30 qui sera utilisé dans les calculs, comme on le voit plus loin.

Ajoutons que l'examen étant en Q.C.M., il vous sera aisé de vérifier que le résultat que vous aurez trouvé figure parmi les 3 ou 4 réponses proposées dans le questionnaire.

## 1 – Calcul de l'autonomie

Exemple : On part avec un réservoir de 100 litres. La consommation horaire est de 10 litres et on veut conserver une réserve de 30 %. La vitesse horaire prévue étant de 11 nœuds, quelle est la distance franchissable ?

a) Quantité de carburant devant être consommée normalement :

$$\frac{100}{1,30} = 77 \text{ litres par excès. La réserve étant de 23 litres (30 \% de 77).}$$

b) Le temps de route possible sera de : $\frac{77}{10}$ = 7,7 heures, soit 7 h 42 mn

c) La distance franchissable sera de : 11 nds **x** 7 h 42 = 84,7 milles

Si on était parti d'une réserve de 30 % du réservoir, la quantité utilisable aurait été de 70 litres qui auraient permis une marche de 7 heures et une distance franchissable de : 7 **x** 11 = 77 milles, au lieu de 84,7.

## 2 – Calcul du carburant nécessaire pour un parcours donné

Exemple : On veut parcourir 120 milles à la vitesse de 12 nœuds, la consommation étant de 13 litres/heure à ce régime. Quelle est la quantité de carburant nécessaire, réserve de 30 % comprise ?

La durée du voyage sera de : $\dfrac{120}{12}$ = 10 heures.

Le carburant nécessaire pour 10 heures de route sera de : 10 x 13 = 130 litres.

La réserve de 30 % sera de $\dfrac{130 \times 30}{100}$ = 39 litres

Quantité totale de carburant à emporter :

$$130 + 39 = 169 \text{ litres.}$$

On peut aussi appliquer la formule : $Q = \dfrac{C \times D \times 1{,}3}{V}$ ,

dans laquelle Q représente la quantité totale de carburant nécessaire, C la consommation horaire en litres, D la distance à parcourir en milles, et V la vitesse, en nœuds. On obtient :

$$\dfrac{13 \times 120 \times 1{,}3}{12} = 169 \text{ litres également.}$$

Si on était parti d'une réserve de 30 % sur le carburant à emporter, on aurait trouvé de la même façon une consommation de 130 litres pour effectuer le parcours. Mais avec cette formulation différente, les 130 litres représentant 70 % de la quantité à emporter, celle-ci aurait été de :

$$\dfrac{130 \times 100}{70} = 185 \text{ litres, au lieu de 169.}$$

Là aussi, le deuxième mode de calcul entraîne un résultat différent. Pour le calcul de l'autonomie en carburant, nous préconisons donc la première formule : **calculer la réserve en fonction de la consommation prévue.** Du reste, les questionnaires officiels présentés en 1994 exigeaient des réponses selon cette formule.

---

**Attention !**

Des questionnaires d'examen peuvent demander une autonomie **théorique.**
Exemple : Avec 60 litres de carburant, en consommant 12 litres à l'heure, quelle est votre autonomie théorique ?
Ce genre de question ne tient pas compte de réserve de sécurité. L'autonomie « théorique » est donc simplement : $\dfrac{60}{12}$ = 5 heures.

---

## COMMENT ÉCONOMISER SON CARBURANT

Cette question n'est pas du programme. Il est cependant utile de savoir que la vitesse est plus satisfaisante avec une consommation plus faible, si un bateau :

— est moins lourd : ne le surchargez donc pas exagérément,

— a une assiette positive, le tirant d'eau arrière étant un peu supérieur au tirant d'eau avant. Également, meilleure tenue de cap.

— a une coque plus propre. Un carénage annuel et un brossage en saison sont un minimum pour que la coque « frotte moins » dans l'eau...

— n'est pas trop contrarié par le courant, le vent et les vagues.

# PROTECTION DES PLONGEURS SOUS-MARINS

Un des risques majeurs qui vous guette, qui fait des victimes chaque année, impose de connaître la signalisation des plongeurs sous-marins. Des questions sont posées à son sujet lors de chaque examen du permis.

Cette signalisation est assurée par le signal « alpha » du Code International des signaux (lettre A, page 133), soit par un pavillon rouge portant une croix de Saint André blanche ou une diagonale blanche. Ces signaux sont montrés par l'embarcation des plongeurs ou fixés sur un flotteur qui se déplace avec le plongeur lui-même.

A la vue de ce signal, naviguer avec précaution et passer à 100 mètres au moins du signal. Méfiez-vous que le plongeur peut revenir à la surface assez loin du signal. Il convient donc d'exercer un veille attentive et se tenir prêt à passer au point mort.

Signal « alpha »        Pavillon rouge avec croix ou diagonale blanche

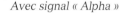

*Avec signal « Alpha »*            *Avec pavillon rouge à diagonale blanche*

Les navires plus importants montrent les feux et les marques des navires à capacité de manœuvre restreinte qui ont été étudiés page 72.

# ORGANISATION DU SAUVETAGE EN MER

**Un navire de plaisance en détresse doit alerter le CROSS en premier.**

Les CROSS (Centres Opérationnels de Surveillance et de Sauvetage) sont au nombre de 5 et leur liste est donnée à la page suivante.

Ils assurent **la coordination** des opérations de sauvetage et en prennent la direction.

**La réalisation** des opérations de sauvetage est assurée, selon les circonstances et de façon ponctuelle, par des organismes très divers :
– la Société Nationale de Sauvetage en Mer (S.N.S.M.) dont nous parlerons plus loin ;
– la Marine Nationale (et l'aéronavale) ;
– la Gendarmerie Nationale ;
– les Affaires Maritimes ;
– la Protection civile, les Sapeurs-Pompiers ;
– les Douanes ;
– les C.R.S., etc…

L'alerte donnée, le CROSS déclenche l'opération de sauvetage en faisant interve-
nir, en fonction des circonstances, certains des personnels cités au début de ce chapitre, avec les moyens les plus divers passant du pneumatique à la vedette et au
canot tous temps ou de l'hélicoptère à l'avion. Au large, les navires sur zone peuvent
être également alertés.

Rappelons que le sauvetage en vies humaines est gratuit. Par contre, le sauvetage
des biens peut donner lieu à rémunération.

Par ailleurs, l'enlèvement d'une épave de navire, dangereuse pour la navigation ou
nuisante pour l'environnement, est à la charge du propriétaire.

On a noté récemment une progression importante des interventions concernant
les plongeurs sous-marins.

Signalons qu'outre le sauvetage, les CROSS assurent :
– la surveillance de la navigation maritime (fourniture d'informations nautiques et
météorologiques aux navires ; constats d'infraction aux règles de la navigation, etc.) ;
– la surveillance des pêches maritimes ;
– la surveillance des pollutions maritimes permettant, le cas échéant, le déclenchement du plan POLMAR.

Les CROSS sont dirigés par des Administrateurs des Affaires Maritimes assistés
d'Officiers des Affaires Maritimes et leur personnel appartient à la Marine
Nationale.

## LA SOCIÉTÉ NATIONALE DE SAUVETAGE EN MER (S.N.S.M.)

A l'inverse des autres personnels qui assurent le sauvetage en mer, la S.N.S.M. est
composée de bénévoles dont le dévouement n'en est que plus grand. La flotte de la
S.N.S.M. se compose de canots tous temps, de vedettes, de pneumatiques, mais
l'entretien et le renouvellement de cette flotte pose des problèmes financiers très
graves à cette association philanthropique qui ne vit que de subventions et de dons.
Les plaisanciers, pour qui les embarcations de la S.N.S.M. opèrent trois sorties sur
quatre, devraient avoir à l'esprit cet état de choses et aider de leur mieux financière-
ment ces quelques milliers de sauveteurs bénévoles qui risquent leur vie pour eux.
Siège de la S.N.S.M. : 9, rue de Chaillot, 75116 Paris, tel. (1) 47 23 98 26.

| RÉPARTITION DES CROSS ET DES SOUS-CROSS | |
|---|---|
| Mer du Nord et Manche, de la Belgique à l'estuaire de la Seine | CROSS Gris-Nez, tél. : 21 87 21 87 |
| Manche, de l'estuaire de la Seine au Mont Saint-Michel | CROSS Jobourg, tél. : 33 52 72 13 |
| Manche et Atlantique, du Mont Saint-Michel à la Pointe-du-Raz | CROSS Corsen, tél. : 98 89 31 31 |
| Atlantique, de la Pointe-du-Raz à l'Espagne | CROSS Etel (CROSSA), tél. : 97 55 35 35<br>Sous-CROSS Soulac, tél. : 56 09 82 00 |
| Méditerranée | CROSS La Garde (CROSSMED), tél. : 94 27 27 11<br>Sous-CROSS Corse, tél. : 95 20 13 63<br>Sous-CROSS Agde, tél. : 67 94 12 02<br>(été seulement) |

# MATÉRIEL DE SÉCURITÉ
# À BORD DES NAVIRES DE PLAISANCE
# DE MOINS DE 25 MÈTRES

˙ Le matériel de sécurité est prescrit par le règlement annexé à l'arrêté du 23.11.87 pris en application du décret du 30.8.84. Le texte intégral de ce décret et de cet arrêté est obligatoire à bord des navires de 1re, 2e, 3e et 4e catégories.

## MATÉRIELS DE SÉCURITÉ DES NAVIRES DE 1re à 4e CATÉGORIE

Les chiffres entre parenthèses (1, 2, 3, 4) indiquent les catégories. Pour plus de détail, se rapporter aux pages 136 à 142 du code (notamment au tableau de la page 137).

– 1 brassière de sauvetage approuvée par personne à bord et 1 brassière supplémentaire par 10% du nombre de personnes à bord au-delà de 10 personnes (1-2-3-4).
– 1 bouée de sauvetage approuvée (1-2-3-4 et renvois page 136).
– Engin de sauvetage collectif (1-2-3-4, voir page 139).
– Pompe à bras fixe (1-2-3).
– Pompe fixe mécanique ou électrique (1-2-3).
– Pompe à bras (pouvant être portative) pour navire de plus de 8 mètres (1-2-3-4).
– 2 seaux rigides (1-2-3-4).
– 1 ou plusieurs extincteurs approuvés (1-2-3-4, voir page 140).
– 4 fusées à parachute (1-2-3) et 3 pour la 4e catégorie.
– 2 signaux fumigènes flottants (1-2-3).
– 6 feux rouges automatiques à main (1-2-3) et 3 pour la 4e catégorie.
– 1 sextant (1re catégorie, voir renvoi page 136).
– 1 compas de route (1-2-3-4). ⎫ voir renvoi page 136
– 1 compas de relèvement (1-2-3-4). ⎭
– 1 montre d'habitacle (1-2-3-4, voir renvoi page 136).
– 1 baromètre (1-2-3-4).
– Jumelles marines ou monoculaires (1-2-3).
– 1 sonde à main (1-2-3-4).
– 1 loch totalisateur (1-2-3).
– 1 miroir de signalisation (1-2-3-4).
– 1 pavillon national (1-2-3-4, voir renvoi page 136).
– 1 pavillon N et C (1-2-3-4, voir renvoi page 136).
– 1 rapporteur ou instrument équivalent (1-2-3-4).
– 2 lampes étanches (1-2-3) et 1 pour la 4e catégorie.
– 1 boule de mouillage (1-2-3-4, voir renvoi page 136 et le bas de la page 75).
– 1 marque de forme conique pour voiliers marchant à la voile et au moteur (1-2-3-4).
– 1 corne de brume (1-2-3-4).
– 1 cloche pour navire de plus de 12 mètres (1-2-3-4).
– 1 récepteur radioélectrique (1-2-3-4, voir renvoi page 136).
– Lignes de mouillage (1-2-3-4, voir page 141).
– Filin pour remorquage, si une seule ligne de mouillage (1-2-3-4).
– 1 gaffe (1-2-3-4).
– Avirons et pagaies (1-2-3-4, voir renvoi page 136).
– Taquet ou bitte d'amarrage et chaumard à l'AV (1-2-3-4).
– 1 jeu de pinoches coniques en bois (1-2-3-4). Pour aveugler les voies d'eau.
– 1 barre franche de secours (1-2-3-4, voir renvoi page 136).
– 1 dispositif réflecteur d'ondes radar (1-2-3-4, voir renvoi page 136).
– Réserve d'eau potable suffisante (1-2-3).
– 1 boîte de secours N° 3 (1-2-3), 1 boîte N° 2 (4e catégorie). Composition page 138.
– 1 journal de bord (1-2-3).
– 1 annuaire des marées ou ouvrage équivalent (1-2-3-4, voir renvoi page 136).
– Guide du navigateur, du SHOM (1-2).
– Ouvrages 2A, 2B, 3C et 1 D du SHOM (3-4, voir renvoi page 136).
– Code international des signaux (pour navires munis d'un émetteur-récepteur).
– Décrets et règlements relatifs à la sécurité des navires de plaisance de moins de 25 mètres (1-2-3-4).
– Ouvrages, documents et instructions nautiques, comprenant notamment un livre des feux et les cartes nécessaires au voyage entrepris ou à la région fréquentée (1-2-3-4).

# MATÉRIELS DE SÉCURITÉ DES NAVIRES DE 5ᵉ et 6ᵉ CATÉGORIES

## NAVIRES DE PLUS DE 5 MÈTRES (5ᵉ catégorie)
- 1 brassière de sauvetage approuvée par personne à bord et 1 brassière supplémentaire par 10 % du nombre de personnes à bord au delà-de 10 personnes,
- 1 bouée de sauvetage approuvée,
- Engin flottant d'un type approuvé,
- 1 seau rigide,
- 1 ou plusieurs extincteurs approuvés, si besoin est (moteurs fixes ou navires habitables, voir page 140 en annexe),
- 3 feux rouges automatiques à main (ils émettent une lumière rouge comme un feu de Bengale),
- 1 compas de route,
- 1 miroir de signalisation,
- 1 pavillon national, dimensions minimales 40 x 30 cm,
- 1 pavillon N et C, dimensions minimales 40 x 30 cm,
- 1 lampe étanche,
- 1 boule de mouillage (prescrite par le Règlement pour prévenir les abordages en mer),
- 1 marque de forme conique (pour voiliers à moteur auxiliaire), (idem),
- 1 corne de brume,
- 1 cloche (pour navires de plus de 12 mètres),
- 1 ligne de mouillage (ancre - chaîne - câblot - Voir page 141)),
- 1 gaffe,
- 1 aviron et 1 dispositif de nage (ou 2 pagaies si moins de 8 mètres),
- 1 taquet ou bitte d'amarrage et chaumard à l'AV,
- 1 filin pour remorquage, s'il n'existe qu'une seule ligne de mouillage,
- 1 jeu de pinoches coniques en bois (pour aveugler les voies d'eau),
- 1 barre franche de secours (sauf pour moteur hors-bord ou à transmission relevable),
- 1 boîte de secours N°1,
- 1 annuaire des marées ou ouvrage équivalent (non exigé en Méditerranée),
- 1 exemplaire de chacun des ouvrages : 2A, 2B, 3C et 1D du SHOM (le présent code remplace le 2A),
- La ou les cartes nécessaires de la région fréquentée.

## NAVIRES DE 5 MÈTRES ET MOINS (5ᵉ et 6ᵉ catégories)

| | 5ᵉ catégorie | 6ᵉ catégorie |
|---|---|---|
| - 1 brassière de sauvetage approuvée par personne à bord, | x | x |
| - 1 extincteur approuvé, dans certains cas (voir page 140), | x | x |
| - 3 feux rouges automatiques à main, | x | |
| - 1 compas de route, | x | |
| - 1 lampe étanche, | x | |
| - 1 corne de brume, | x | |
| - 1 ancre ou grappin, avec chaîne ou câblot | x | x |
| - 2 avirons ou une godille avec dispositif de nage ou une pagaie, | x | x |
| - 1 écope, sauf si cockpit autovideur, | x | x |
| - 1 taquet ou bitte d'amarrage et chaumard à l'AV, | x | x |
| - 1 dispositif de sécurité coupant l'allumage ou les gaz en cas d'éjection ou de malaise du pilote (lorsque la puissance réelle du moteur dépasse 6 CV), | x | x |
| - la ou les cartes de la région fréquentée. | x | |

## VÉHICULES NAUTIQUES À MOTEUR (SCOOTERS)

Les véhicules nautiques à moteurs (scooters, etc.) doivent posséder un anneau et un cordage permettant le remorquage, 2 feux automatiques à main produisant une lumière rouge et contenus dans un compartiment étanche et le dispositif de sécurité en cas d'éjection du pilote. Leurs utilisateurs doivent porter en permanence un gilet ou une brassière de sauvetage de couleur vive. Voir aussi page 91.

**MATÉRIELS APPROUVÉS.** — Certains matériels, en raison de leur importance, sont « approuvés » par la Marine Marchande. Ils portent alors un numéro précédé ou suivi de lettres :

**E.S.** s'il s'agit d'engins *de sauvetage* (c'est le cas notamment des brassières de sauvetage « anciennes normes » ) ;

**G.S.** (A, J ou E) ⎱ gilets ou brassières de sauvetage correspondant aux nouvelles
**B.S.** (A, J ou E) ⎰ normes (A signifiant adulte, J junior et E enfant). Depuis le 5/8/94, tous les gilets proposés sur le marché doivent être munis du marquage «CE» (normes européennes) ;

**D.I.** s'il s'agit de matériels de défense contre l'*incendie* (ou la marque NF) ;
**S.N.** s'il s'agit de matériels intéressant la *sécurité de la navigation* (compas, fanaux, etc...).

## HOMOLOGATION ET PLAQUE SIGNALÉTIQUE

**L'HOMOLOGATION** des séries de navires de plaisance est faite par la Commission Nationale de Sécurité qui tient compte des caractéristiques techniques du navire (capacité du réservoir de carburant, par exemple) pour l'affecter à telle ou telle catégorie de navigation. Il est donc interdit de modifier les structures d'un navire sans autorisation. Ne pas le « bricoler » sans en avertir l'Administration !

**LA PLAQUE SIGNALÉTIQUE** que le constructeur ou l'importateur doit apposer à l'intérieur de chaque navire comporte les indications suivantes pour les bateaux construits depuis février 1988 :

Nom du constructeur ou de l'importateur et le cas échéant, de l'architecte — la série (s'il y a lieu) — le numéro d'approbation — la catégorie de navigation maximale autorisée — le nombre maximal de personnes pouvant prendre place à bord pour chaque catégorie de navigation, ou la charge utile dans le cas des embarcations légères de plaisance - l'année de construction — la puissance maximale de l'appareil propulsif.

Les bateaux construits avant 1988 conservent leur plaque signalétique, d'un modèle un peu différent, selon leur longueur (plus de 5 mètres ou 5 mètres et moins) mais dont les indications sont sensiblement les mêmes.

## PIÈCES ADMINISTRATIVES À POSSÉDER À BORD D'UN NAVIRE DE PLAISANCE À MOTEUR

— le titre autorisant la conduite du navire : carte mer ou permis mer ou ancien permis A,B ou C, selon les caractéristiques du navire et le type de navigation que vous effectuez ;
— le titre de navigation du navire : carte de circulation si la jauge brute du navire est égale ou inférieure à 2 tonneaux — document commun « acte de francisation - titre de navigation » si elle est supérieure à 2 tonneaux. Ce document commun est également exigible (à la place de la carte de circulation) pour les navires de 2 tonneaux et moins qui se rendent à l'étranger par la voie maritime.
D'autres documents peuvent être nécessaires : certificat restreint de radiotéléphoniste (si le navire a la VHF), permis de navigation , etc. Voir, en annexe, page 148.

# VÉHICULES NAUTIQUES À MOTEUR

Les véhicules nautiques à moteur (scooters des mers, motos des mers, planches à moteur, d'une puissance propulsive de plus de 3 kilowatts, soit 4 CV) forment une catégorie bien à part. Il nous a paru utile de rassembler ci-après tout ce qu'il faut savoir à leur sujet, dans les différents domaines de la réglementation.

Les véhicules nautiques à moteur ne peuvent évoluer que **de jour** et ne doivent pas s'éloigner à plus **d'un mille** de la limite des eaux.

S'ils ont un moteur d'une puissance supérieure à 50 CV, leur pilote doit être titulaire du permis mer. Pour une puissance égale ou inférieure à 50 CV, la carte mer suffit.

Les véhicules nautiques à moteur sont considérés comme des navires à propulsion mécanique pour les règles de barre et de route et doivent donc appliquer les règles de circulation propres aux navires à moteur, notamment observer les priorités dues par les navires à moteur.

Leurs conditions de navigation dans la bande littorale des 300 mètres sont réglementées par le Préfet Maritime. En Méditerranée, quand cette bande est balisée, il leur est interdit de naviguer à l'intérieur des zones délimitées à l'exception des chenaux d'accès aux ports et des zones ou chenaux prévus pour eux. En l'absence de balisage, ils ne peuvent non plus évoluer à l'intérieur de la bande des 300 mètres ; seul, le transit vers le large est autorisé, en ligne droite et continue et à 5 nœuds maximum.

Ils doivent posséder un anneau et un cordage permettant le remorquage, 2 feux automatiques à main produisant un lumière rouge, contenus dans un compartiment étanche et le dispositif de sécurité prévu en cas d'éjection du pilote.

Leurs utilisateurs doivent porter en permanence un gilet ou une brassière de sauvetage de couleur vive.

Les véhicules nautiques à moteur doivent être d'un modèle approuvé et être immatriculés. Ils doivent porter une marque extérieure d'identité avec des caractères d'une hauteur minimale de 30 mm.

Ils doivent observer des prescriptions d'insubmersibilité et de stabilité. L'hélice doit être carénée et un système de sécurité doit arrêter automatiquement la propulsion en cas d'éjection du pilote. Réserve de carburant permettant une autonomie minimum de 5 milles s'il n'y a pas de système de jauge. Le niveau sonore ne doit pas dépasser 80 décibels à une distance de 7,50 mètres.

Leurs utilisateurs doivent, lors de l'achat ou de la location ou du prêt d'un véhicule nautique à moteur, co-signer un formulaire par lequel ils reconnaissent être au courant des règles de sécurité et de conduite afférentes à ces engins.

# RESPONSABILITÉ DU CHEF DE BORD

Certains articles du code disciplinaire et pénal de la Marine Marchande sont applicables aux capitaines de navires de plaisance. Ceux-ci doivent savoir qu'en cas d'accident sérieux (notamment corporel), ils doivent déposer un « rapport de mer » auprès des Affaires Maritimes. En cas de perte du bateau, (quelle qu'en soit la cause) ils doivent prévenir les Affaires Maritimes et la Douane si le bateau est francisé. Après un abordage, ils doivent employer tous les moyens disponibles pour sauver du danger l'autre navire et son équipage. Précisons enfin que la loi réprime le délit de fuite après tout accident causé ou occasionné par un navire ou tout engin flottant ou par une personne remorquée.

# MARQUES EXTÉRIEURES D'IDENTITÉ

Les marques extérieures d'identité pour les navires de plaisance sont les suivantes :
— **Marque ①** : **nom du navire et nom ou initiales du quartier d'immatriculation**, en lettres de couleur claire sur fond foncé ou de couleur foncée sur fond clair, à la poupe (pas de dimensions imposées) ;
— **Marque ②** : **nom du navire**, dans les conditions ci-dessus, à l'avant ;
— **Marque ③** : **initiales du quartier et numéro d'immatriculation**, en lettres et chiffres d'au moins 18 cm de hauteur, 10 cm de largeur et 2,5 cm de largeur du trait de chaque côté de la coque ou des superstructures. Pour les véhicules nautiques à moteur (scooters, etc.), hauteur minimale de 3 cm.

Les marques qui doivent être portées varient selon les navires : elles comportent toutes maintenant 2 lettres et 6 chiffres.

## VOILIERS

— **d'une jauge brute égale ou supérieure à 25 tonneaux** :
marques ① et ② ci-dessus, c'est à dire :
— nom du navire et du quartier d'immatriculation à la poupe ;
— nom du navire à l'avant.
— **d'une jauge brute égale ou supérieure à 2 tonneaux mais inférieure à 25 tonneaux** :
marque ① ci-dessus, c'est à dire : nom du navire et du quartier d'immatriculation à la poupe.
— **d'une jauge brute inférieure à 2 tonneaux** : aucune marque.

## NAVIRES À MOTEUR

Les marques sont données sur la page 93 ci-contre.

**92**

## INITIALES DES QUARTIERS D'IMMATRICULATION

| | | | |
|---|---|---|---|
| AJACCIO | AJ | MARSEILLE | MA |
| ARCACHON | AC | MARTIGUES | MT |
| AUDIERNE | AD | MORLAIX | MX |
| AURAY | AY | NANTES | NA |
| BASTIA | BI | NICE | NI |
| BAYONNE | BA | NOIRMOUTIER | NO |
| BOULOGNE | BL | PAIMPOL | PL |
| BORDEAUX | BX | PORT-VENDRES | PV |
| BREST | BR | ROUEN | RO |
| CAEN | CN | SAINT-BRIEUC | SB |
| CAMARET | CM | SAINT-MALO | SM |
| CHERBOURG | CH | SAINT-NAZAIRE | SN |
| CONCARNEAU | CC | SÈTE | ST |
| DIEPPE | DP | TOULON | TL |
| DOUARNENEZ | DZ | VANNES | VA |
| DUNKERQUE | DK | YEU | YE |
| FÉCAMP | FC | FORT-DE-FRANCE | FF |
| LA ROCHELLE | LR | POINTE-À-PITRE | PP |
| LE GUILVINEC | GV | CAYENNE | CY |
| LE HAVRE | LH | LA RÉUNION | RU |
| LES SABLES D'OLONNE | LS | ST-PIERRE-ET-MIQUELON | SP |
| LORIENT | LO | NOUMÉA | NC |
| MARENNES | MN | PAPEETE | PY |

## NAVIRES À MOTEUR D'UNE JAUGE BRUTE ÉGALE OU SUPÉRIEURE À 25 TONNEAUX

Marques ①, ②, ③ soit :
— Noms du navire et du quartier d'immatriculation à la poupe ;
— Nom du navire à l'avant ;
— Initiales du quartier et numéro d'immatriculation de chaque côté de la coque ou des superstructures

## NAVIRES À MOTEUR D'UNE JAUGE BRUTE ÉGALE OU SUPÉRIEURE À 2 TONNEAUX MAIS INFÉRIEURE À 25 TONNEAUX

**Avec moteur de 10 CV et plus :**
Marques ① et ③, soit :
— Noms du navire et du quartier d'immatriculation à la poupe ;
— Initiales du quartier et numéro d'immatriculation de chaque côté de la coque ou des superstructures.
**Avec moteur de moins de 10 CV :**
Marque ① soit : noms du navire et du quartier d'immatriculation à la poupe.

## NAVIRES À MOTEUR D'UNE JAUGE BRUTE INFÉRIEURE À 2 TONNEAUX

**Avec moteur de 10 CV et plus :**
Marque ③, soit :
Initiales du quartier et numéro d'immatriculation de chaque côté de la coque ou des superstructures.

**Avec moteur de moins de 10 CV :**
Aucune marque.

Les véhicules nautiques à moteur (scooters de mer, etc.) doivent porter un numéro avec des caractères d'une hauteur minimale de 30 mm.

# TEST DE CONTRÔLE N°2

Solutions pages 127 et 128

## FEUX ET MARQUES DES NAVIRES

20 -   Naviguant dans un chenal, un navire montre une marque cylindrique noire en mâture. Que signifie cette marque ?

21 -   De nuit, vous rencontrez un navire portant ses feux de côté et, dans la mâture, 2 feux rouges superposés. Quel est ce navire ? Que devez-vous faire ?

22 -   Dans un port, un navire amarré au quai montre un feu rouge. Signification.

23 -   Un petit navire de plaisance de moins de 7 mètres, au mouillage dans un chenal étroit, est-il dispensé, en raison de ses dimensions, de montrer les marques des navires au mouillage ?

24 -   Quelles sont les marques de jour d'un navire en train de pêcher, de 25 mètres et dont l'engin est déployé sur 200 mètres ?

25 -   Quel est le navire ci-après et que fait-il ? Il montre, de nuit :

   - sur le mât avant, un feu vert supérieur à un feu blanc,

   - sur le mât arrière, un feu blanc placé plus haut que les précédents,

   - ses feux de côté et de poupe,

   - à tribord, à mi-hauteur du mât, un feu blanc supérieur à un feu rouge.

26 -   Vous possédez un bateau à moteur de moins de 7 mètres et d'une vitesse inférieure à 7 nœuds. Quels feux devez-vous montrer lorsque vous êtes en route ?

27 -   Quelle est la marque de jour d'un navire de 70 mètres échoué ?

28 -   Comment se présentent les feux d'un navire handicapé par son tirant d'eau, long de 250 mètres et faisant une route perpendiculaire à la vôtre et venant de votre droite ?

## NAVIGATION ET SÉCURITÉ

29 -   Quels sont les signaux assurant la protection des plongeurs sous-marins ?

30 -   A quelle distance minimum de la côte pouvez-vous évoluer à grande vitesse ?

31 -   Quel doit être le nombre maximum de personnes pouvant embarquer à bord de votre bateau ?

32 -   Quelle est la définition d'un abri ?

33 -   Pour quel genre de moteur l'extincteur est-il exigé ?

34 -   Devez-vous embarquer des brassières de sauvetage ? Si oui, combien ?

35 -   Avec un navire armé en 5ᵉ catégorie, pouvez-vous naviguer à 10 milles d'un abri ?

36 -   Un baromètre est-il obligatoire à bord d'un navire armé en 4ᵉ catégorie ?

# 6

# ÉPREUVE THÉORIQUE PAR Q.C.M.

H. VAGNON

L'examen du permis côtier commence par l'épreuve théorique générale. Celle-ci se passe sur un questionnaire de 20 questions. Le candidat n'a pas droit à plus de 3 erreurs. L'épreuve dure 15 minutes.

Les questions sont posées selon le système Q.C.M. 3 ou 4 réponses sont proposées à chaque question. Le candidat met une croix dans la case correspondant à la réponse qu'il juge correcte. Une seule croix par question.

L'épreuve théorique peut, à titre exceptionnel, être orale sur décision de l'autorité responsable de l'organisation de l'examen.

Vous trouverez ci-après 10 questions se rapprochant de très près de celles qui ont été posées en 1994 (bonnes réponses données en bas de la page 97).

Certaines de ces questions sont extraites de l'ouvrage intitulé **Tests Vagnon Mer** (Éditions du Plaisancier) qui comporte 230 questions de ce type se rapportant au programme du permis côtier (nouvelle édition 1995). Ces 230 questions vous procureront une excellente préparation à l'épreuve de code de l'examen en même temps qu'elles vous familiariseront avec le système Q.C.M. Voir page 128 et le bon de commande pages 175 et 176.

---

## 1

Vous voyez droit devant vous un navire faisant une route directement opposée à la vôtre. Que faites-vous ?

❏ Je stoppe
❏ Je viens à droite
❏ Je viens à gauche
❏ Je viens indifféremment à droite ou à gauche

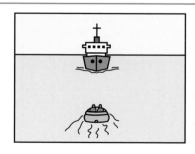

---

## 2

En mer, dans la brume, vous entendez un son long suivi de deux brefs.
De quoi s'agit-il ?

❏ Navire mouillé de plus de 100 mètres
❏ Navire échoué
❏ Navire non maître de sa manœuvre

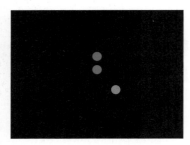

## 3

En mer, de nuit, vous voyez ces feux droit devant. Que faites-vous ?

❏ Je maintiens mon cap et ma vitesse

❏ Je manœuvre pour ne pas gêner ce navire

❏ J'émets une série d'au moins 5 sons brefs

## 4

Vous voulez vous rendre dans un port distant de 60 milles, à la vitesse de 12 nœuds. A cette vitesse, votre consommation est de 10 litres à l'heure. Combien emporterez-vous de carburant si vous prenez 30 % de marge de sécurité ?

❏ 56 litres

❏ 65 litres

❏ 80 litres

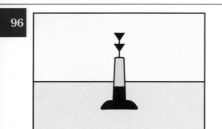

## 5

Vous faites route au 260 et apercevez droit devant cette bouée. Que faites-vous ?

❏ Je passe indifféremment à droite ou à gauche

❏ Je viens à droite

❏ Je viens à gauche

## 6

En mer, de nuit, vous apercevez dans le ciel une lueur rouge descendant lentement. Signification ?

❏ Navire en détresse

❏ Navire transportant des matières dangereuses

❏ Navire non maître de sa manœuvre

## 7

Une nuit, le sémaphore montre ces deux feux. Qu'indique-t-il ?

- ❏ Entrée autorisée. Navigation dans les deux sens
- ❏ Hauteur d'eau de 5,20 mètres.
- ❏ Étale de pleine mer.
- ❏ Avis de grand frais toute direction.

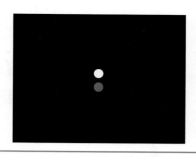

## 8

Que signifie le signal sonore émis par le navire de gauche ?

- ❏ Je viens sur la droite
- ❏ Je viens sur la gauche
- ❏ Attention ! vous devez manœuvrer

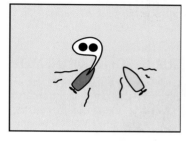

## 9

Vous êtes en détresse. Qui devez-vous alerter en premier avec votre VHF ?

- ❏ Les Pompiers
- ❏ La SNSM
- ❏ La Gendarmerie
- ❏ Le CROSS

## 10

Quelle est cette bouée ?

- ❏ Marque de chenal préféré à tribord
- ❏ Marque spéciale
- ❏ Marque cardinale Nord
- ❏ Marque de limite de zone des 300 mètres

## RÉPONSES

1. Je viens à droite. — 2. Navire non maître de sa manœuvre. — 3. Je manœuvre pour ne pas gêner ce navire. — 4. 65 litres. — 5. Je viens à gauche. — 6. Navire en détresse. — 7. Grand frais toute direction. — 8. Je viens sur la gauche. — 9. Le CROSS. — 10. Marque spéciale.

# 7

# MOTEUR - INCENDIE ENVAHISSEMENT PAR L'EAU

P. WADOUX

*C'est lors de l'épreuve pratique que vous devrez désigner certaines pièces du moteur (voir pages 112 et 113). Votre moniteur vous aura appris à les reconnaître, sur son bateau. Jetez néanmoins un coup d'œil sur les 7 pages qui suivent (98 à 104) en ce qui concerne le moteur.*

## NOTIONS
## SUR LE FONCTIONNEMENT DU MOTEUR

Les moteurs utilisés sur les navires de plaisance sont à explosion (moteurs à essence) ou à combustion interne (moteurs Diesel).

Selon leur conception, ces moteurs fonctionnent à 2 ou à 4 temps.

Ils se classent en trois catégories :

a) les moteurs fixes ;

b) les moteurs hors-bord ;

c) les moteurs Z drive, qui sont une combinaison du moteur fixe et du moteur hors-bord.

On peut apercevoir, de plus en plus, des engins motorisés (hydro-jets, scooters, etc...) qui se distinguent surtout par leur mode de propulsion. Ils sont bien entendu, astreints soit à la carte mer, soit au permis, selon leur puissance.

**PRINCIPE DE FONCTIONNEMENT DU MOTEUR** — C'est faire brûler ou exploser un combustible à l'intérieur d'un cylindre fermé à l'une de ses extrémités et dans lequel se déplace un piston relié par une bielle articulée à un arbre vilebrequin.

De l'explosion ou de la combustion se dégagent des gaz sous forte pression qui exercent une poussée sur le piston qui, par l'intermédiaire de la bielle, fera tourner l'arbre du moteur en transformant le mouvement alternatif en mouvement de rotation continue.

## Le moteur à explosion

**LE MOTEUR A EXPLOSION A 4 TEMPS** (voir figure ci-contre)

Le moteur comporte un bloc cylindre (un ou plusieurs) fermé à sa partie supérieure par la culasse.

La culasse comporte les soupapes d'aspiration et d'échappement, commandées par un arbre à cames et culbuteurs. Elle comporte aussi la bougie d'allumage.

Dans le cylindre se déplace le piston.

Un carburateur alimente en gaz carburé le moteur.

Un système d'allumage électrique alimente en courant la bougie.

La lubrification des organes et des articulations se fait sous pression d'huile donnée par une pompe.

Le refroidissement du bloc cylindrique et de la culasse se fait par circulation d'eau froide activée par une pompe.

# DÉTAIL DU CYCLE DU MOTEUR A EXPLOSION A 4 TEMPS

(Figure ci-dessous)

1e temps. — Le piston descend, le mélange gazeux pénètre dans le cylindre (soupape d'aspiration ouverte — soupape d'échappement fermée). C'est l'aspiration.

2e temps. — Les deux soupapes sont fermées. Le piston remonte et comprime les gaz. C'est la compression.

3e temps. — Les deux soupapes sont fermées. Explosion. Le piston descend. Ce troisième temps est le « temps moteur ».

4e temps. — La soupape d'aspiration est fermée, celle d'échappement ouverte. Le piston remonte, les gaz brûlés sont expulsés, c'est l'échappement.

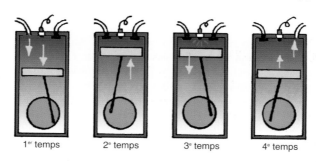

1er temps     2e temps     3e temps     4e temps

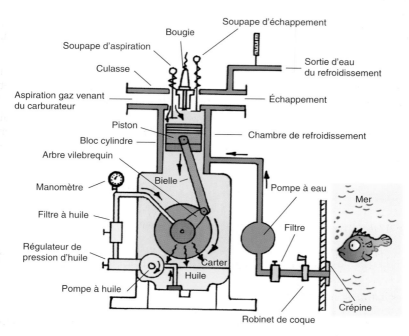

En vert : le circuit d'eau de mer du refroidissement
En jaune : le circuit de graissage force

## LE MOTEUR A EXPLOSION 2 TEMPS

Dans ce type de moteur, il n'y a pas de soupapes ni de graissage forcé.

Les soupapes sont remplacées par des lumières pratiquées à la base du cylindre, que le piston recouvre et découvre dans sa course pour permettre l'admission « a » des gaz carburés dans le cylindre et l'échappement des gaz brûlés par « b » (voir figure ci-dessous).

Balayage en boucle, à l'admission, le mélange air + carburant est injecté en « tourbillon atomisé » pour permettre une amélioration de l'explosion.

Le piston, en montant, crée une dépression dans le carter. Le clapet battant obturateur s'ouvre et laisse ainsi entrer les gaz frais dans le carter. On voit que le piston travaille à la fois des deux faces, côté carter et côté cylindre.

Le graissage des articulations s'opère par contact direct avec la masse de gaz carburé, préalablement huilé de 1 à 5 %, passant dans le carter.

Dans les moteurs actuels, de plus en plus, le mélange huile/essence s'effectue par addition provenant d'un réservoir, séparé ou inclus dans la nourrice, injectée à l'aide d'une pompe entraînée par le vilebrequin, donc en fonction du régime du moteur. C'est le système « Oil Injection » ou « Autolube » ou « VRO ». La mention du système est souvent indiquée sur le capot moteur. Le taux d'huile est ramené à environ 1 % par suite d'une distribution optimum.

Le refroidissement du bloc cylindre et culasse s'opère par circulation d'eau. Toutefois, sur les petits moteurs, le refroidissement s'opère par ventilation d'air qui souffle sur des ailettes portées par le bloc cylindre.

L'allumage s'opère par le système du volant magnétique.

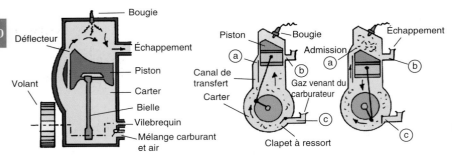

## LE CYCLE DU MOTEUR A EXPLOSION A 2 TEMPS (figure ci-dessus à droite)

1er temps —

Côté cylindre : le piston monte, ferme les lumières et opère la compression.

Côté carter : le piston, en montant, crée une dépression dans le carter et appelle les gaz carburés par le clapet battant. Le carter se remplit ainsi.

2e temps —

Côté cylindre : le piston redescend sous l'effet de la détente, il redécouvre les lumières d'échappement, les gaz brûlés s'évacuent. Le cylindre se remplit de gaz frais provenant du carter, sous l'effet de refoulement du piston.

Côté carter : les gaz frais contenus dans le carter passent dans le cylindre.

# Le moteur diesel

Ce type de moteur est très résistant et peu sensible aux pannes.
Le moteur diesel a beaucoup d'analogies avec le moteur à explosion à 4 temps, avec cette différence que le combustible est injecté sous forte pression et sous forme de pulvérisation directement dans le cylindre et prend feu spontanément au contact de l'air échauffé par compression à 600°.

Dans ce type de moteur, il n'y a ni carburateur, ni système d'allumage électrique.

Le moteur aspire directement l'air extérieur qu'il compresse. Il comporte une pompe d'injection qui refoule le gas-oil à l'injecteur qui le pulvérise dans le cylindre.

## LE CYCLE DU MOTEUR DIESEL 4 TEMPS

1er temps — La soupape d'aspiration s'ouvre, le piston descend, aspire l'air pur.

2e temps — La soupape d'aspiration s'étant fermée, le piston remonte, compresse l'air à 30 ou 40 bars, qui s'échauffe à 600°.

3e temps — Le combustible est injecté dans la masse d'air portée à 600° et prend feu. De la combustion, se dégagent les gaz sous forte pression qui se détendent et actionnent le piston. C'est le temps moteur.

4e temps — La soupape d'échappement s'ouvre, le piston remonte et chasse les gaz brûlés.

## Moteur diesel — Vue schématique de l'alimentation

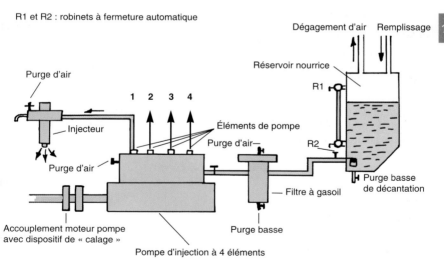

R1 et R2 : robinets à fermeture automatique

**Nota 1** — Le filtre à gas-oil doit être à cuve transparente, en vertu de l'arrêté du 27.3.80.

**Nota 2** — Les retours du gas-oil ne sont pas dessinés pour la clarté du schéma.

## L'INJECTION ET LA PULVÉRISATION

La pompe d'injection généralement est conçue pour aspirer le combustible ; sinon celui-ci doit être en charge sur ladite pompe.

Les injecteurs ne sont pas commandés mécaniquement par un arbre à cames et ne fonctionnent que sous l'influence de la pression de refoulement de la pompe d'injection.

La pulvérisation est très importante pour le fonctionnement et le rendement du moteur. Une mauvaise pulvérisation provoque l'encrassement du cylindre, des segments de piston, de la soupape d'échappement. Elle se remarque notamment par l'émission de fumée noire à l'échappement. Il est donc recommandé de faire vérifier les injecteurs annuellement.

# Carburation, allumage et refroidissement

## LE CARBURATEUR

C'est l'appareil qui prépare le mélange d'air et d'essence.

Les principales pièces sont :
— la cuve à niveau constant dans laquelle se trouve le flotteur à pointeau qui contrôle l'arrivée d'essence à l'appareil ;
— des gicleurs : (par ex. l'un principal, l'autre de ralenti)
— une chambre de mélange, un volet d'admission des gaz, un volet d'admission, un filtre à air, ou au moins une grille anti-retour de flamme, etc.

L'essence contenue dans la cuve s'écoule aux gicleurs qui la diffusent dans le courant d'air qu'aspire le moteur.

## L'ALLUMAGE

Il existe trois systèmes d'allumage :
— par batterie et bobine ;
— par volant magnétique ;
— par allumage électronique.

a) Dans le premier cas (voir figures ci-contre) le courant de la batterie alimente l'enroulement « primaire » de la bobine puis va au rupteur dont les points de contact s'appellent « vis platinées » et qui est logé dans l'allumeur ou « delco ». Un enroulement « secondaire » part de la bobine vers les bougies. Quand les vis platinées coupent le courant du circuit primaire, une décharge de très haute tension se produit dans le circuit secondaire et provoque une étincelle à la bougie, par l'intermédiaire du distributeur (qui est à la partie supérieure du delco).

b) Le volant magnétique (encore utilisé sur de nombreux moteurs 2 temps hors-bord) ne nécessite pas de batterie et produit son courant de basse tension lui-même.

Avec l'allumage par circuit intégré, le point d'allumage est réglé avec une grande précision, quel que soit le régime du moteur. Certains moteurs portent sur leur capot la mention « I.C.Ignition ».

c) L'allumage électronique, de plus en plus utilisé, procure un démarrage beaucoup plus « musclé » et une moindre usure des pièces en mouvement s'il en reste, car certains systèmes sont entièrement statiques.

Quelques mots sur la bougie (figure ci-contre) : elle comporte un culot d'acier dans lequel est scellée une porcelaine isolante. A l'intérieur de cette porcelaine, passe l'électrode du courant. L'écartement des électrodes est de 4 à 6/10 de mm. Il faut toujours employer le type de bougie recommandé pour le moteur.

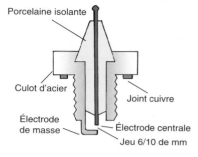

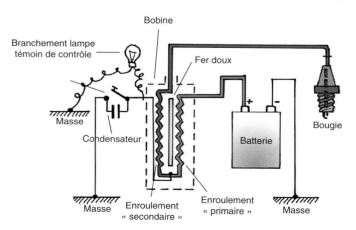

**Vue schématique d'ensemble des appareils d'allumage**

103

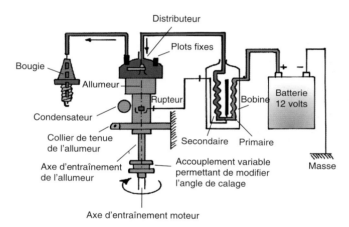

**Fonctionnement de la bobine productrice du courant d'allumage**

## LE REFROIDISSEMENT

Les cylindres, ainsi que la culasse du moteur, doivent être refroidis, faute de quoi les pistons et les soupapes gripperaient et se bloqueraient dans les cylindres.

Il existe trois systèmes de refroidissement :

1. En direct à l'eau de mer. Une pompe entraînée par le moteur aspire directement l'eau à la mer par une prise d'eau avec crépine. L'eau passe dans les chambres entourant les cylindres puis dans la culasse et est rejetée à la mer. Il ne faut pas dépasser 65°C en sortie d'eau du moteur car on risque des dépôts sur les parois des cylindres et l'obstruction des conduits.

Afin de limiter l'obturation de l'aspiration à la mer, par des algues par exemple, de nombreux moteurs hors-bord sont maintenant équipés du système de refroidissement par double arrivée d'eau de mer.

A cet effet, on trouve un jeu de « lumières d'aspiration » de chaque bord du boîtier d'embrayage, à l'avant de l'hélice et toujours immergées.

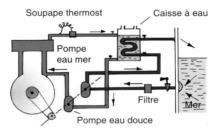

2. Refroidissement à l'eau douce en circuit fermé (voir figure ci-dessus). Ce système comprend 2 circuits d'eau séparés, l'un d'eau douce refroidissant le moteur, l'autre d'eau de mer refroidissant le premier. L'eau, en sortie du moteur, peut atteindre 85 - 90°.

3. Refroidissement par ventilation d'air, sur les ailettes que portent le cylindre et la culasse, système utilisé sur les petits moteurs de faible puissance.

## MOTEURS HORS-BORD 4 TEMPS

Ces moteurs fonctionnent à l'essence pure, sans addition d'huile.

Ne rejetant pas d'huile brûlée à l'échappement, ils sont moins polluants que les 2 temps. Intéressants pour la navigation intérieure. La mention « 4 stroke » est indiquée sur le capot du moteur.

Ces moteurs nécessitent une vidange d'huile périodique.

# Les principales pannes et avaries
## Leur solution

## DÉFAUTS D'ALLUMAGE

Le démarreur ne tourne pas. Le moteur ne part pas ou ne tourne pas rond.

— Batterie mal chargée.

— Bougies encrassées, mal réglées (en débranchant les bougies l'une après l'autre, on reconnaît celle qui est défectueuse en ce que le fait de l'enlever ne modifie pas le régime du moteur).

- Fil de bougie coupé, porcelaine fendue, fil à la masse par humidité.
- Mauvais écartement des vis platinées.
- Bobine haute tension claquée.
- Cosses de batterie mal serrées.
- Avance mal réglée.
- Stop d'urgence débranché.
  Pour éviter la plupart de ces inconvénients ou y remédier :
- Tenir le moteur propre et sec, surtout le circuit électrique et en particulier les bougies.
- Tenir la batterie suffisamment chargée.
- Vérifier que les fils de courant de la batterie sont bien serrés sur leurs bornes et que les fils du circuit ne sont pas débranchés.
- Vérifier que le courant alimente bien les bougies.
- Vérifier l'état du contact des vis platinées.
- Avoir à bord, en plus de l'outillage nécessaire, bougies, clef à bougies, fils de bougies, condensateur et bobine de rechange.
- L'allumage électronique nécessite l'intervention d'un spécialiste.

## DÉFAUTS D'INJECTION

Le moteur cogne et fume.

- Injecteurs mal tarés, bouchés ou encrassés.
- Remontée d'huile.
- Déréglage de la pompe à combustible (réglage par un professionnel).

Pour déceler l'injecteur défectueux, ouvrir le pointeau de purge de l'injecteur. L'injection au cylindre cessant de ce fait, l'émission de fumée noire doit cesser également et les cognements au cylindre disparaître.

Bien entendu, cette détection n'est pas possible sur un mono-cylindre. Dans ce cas, démonter l'injecteur, sur son porte-injecteur (3 écrous) et le faire vérifier par l'atelier. On peut faire un essai de diffusion à bord mais, **attention !** Ne mettez jamais la main devant un injecteur démonté en essai.

## DÉFAUTS D'ALIMENTATION

Le moteur ne part pas, ou cale au ralenti, ou fume.

### a) Moteur à essence.

- S'assurer d'abord qu'il y a bien de l'essence et vérifier le dégagement d'air du réservoir (ce petit orifice étant souvent bouché).
- Veiller à ce qu'il n'y ait pas d'eau dans le réservoir. Dans ce cas, décanter au maximum.
- S'assurer que l'essence arrive bien au carburateur. Pour cela, desserrer le raccord de la conduite d'essence à l'arrivée du carburateur et pomper à la main (pompe d'appel). L'essence doit couler.
- Si elle ne coule pas, inspecter la conduite d'essence et ses raccords, visiter les filtres ainsi que la crépine du tube plongeur du réservoir. Les défauts d'alimentation sont parfois dus à un écrasement du circuit (coudes, raccords, joints), aux filtres encrassés et à la pompe défectueuse (membrane).
- Vérifier pointeau et flotteur du carburateur, ainsi que le gicleur. La cuve peut être sale, le flotteur crevé ou alourdi.

Les plaisanciers qui désirent utiliser l'essence sans plomb doivent s'assurer, auprès de leur concessionnaire, que ce carburant est adapté au moteur du navire.

En début de saison, vidanger le réservoir en faisant bouger le bateau et remplacer le combustible de l'année précédente, que ce soit du gazole ou de l'essence.

## b) Moteur diesel

Le circuit d'alimentation aspire de l'air (pulvérisation molle). Dans ce cas, de nombreux points de purge d'air permettent d'éliminer l'air enfermé dans le circuit. Faire tourner le moteur, écrou d'arrivée de gazole à l'injecteur desserré, pour éliminer l'air se trouvant dans le tuyautage d'alimentation. Resserrer l'écrou lorsque le combustible arrive.

Vérifier aussi, comme pour un moteur à essence, les réservoirs, les canalisations et le filtre à combustible.

## DÉFAUTS DE GRAISSAGE

— Quantité d'huile insuffisante dans le carter (niveau trop bas).

— Huile devenue à l'usage trop épaisse et malpropre (ne se laisse plus aspirer et colmate la crépine d'aspiration).

— Le filtre à huile bouché.

— La pompe à huile avariée, régulateur de pression déréglé.

— Rupture d'un des tuyaux de graissage ou raccords desserrés à l'intérieur du moteur.

— Présence d'eau dans l'huile possible par suite de défectuosité du joint de culasse par exemple.

Il y a bien souvent production d'une sorte d'émulsion du type « savonnage » ou « mayonnaise ». Inutile d'ajouter que les moteurs n'apprécient guère ce genre de lessive.

A noter de ne jamais faire fonctionner au moteur sans être certain que la pression d'huile est suffisante et que l'indicateur de pression d'huile peut parfois donner de fausses indications (bloqué ou crevé).

Pour prévenir ces défauts, il convient de maintenir le niveau d'huile correct (mettre toujours l'huile prescrite par le constructeur) et procéder à des vidanges régulières.

Sur les moteurs 2 temps, ne pas forcer la dose d'huile prescrite dans l'essence. Cela conduit à l'encrassement des bougies. Une insuffisance d'huile peut amener une surchauffe très sérieuse du moteur.

Les moteurs hors-bord nouveaux, non munis du système d'injection mécanique d'huile, nécessitent en général 1 à 2 % d'huile de mélange seulement. Il est cependant prudent de se référer à la notice du constructeur.

Les filtres à air sont souvent encrassés dans les ports où le trafic de minerais, charbons ou agro-alimentaires est important.

## DÉFAUTS DE REFROIDISSEMENT

On les remarque par une température élevée en sortie d'eau du moteur, le rejet d'eau fume ou vaporise au toucher. Les causes peuvent être :

— Manque de débit de circulation d'eau de refroidissement des cylindres.

— Manque de graissage.

— Freinage de l'hélice engagée dans un filin ou autre obstacle, en particulier du goémon assez fréquemment.

Il faut vérifier que :

— la prise d'eau est bien ouverte en grand ;

— la crépine n'est pas bouchée par les algues, des herbes, un chiffon, etc. ;

— la courroie d'entraînement de la pompe n'est pas détendue ou cassée ;

— le filtre à eau est propre ;

— les durites ne sont pas crevées ou un joint mal serré.

On peut remédier à une avarie de pompe de circulation en branchant provisoire-

# MOTEUR A EXPLOSION

## 2 temps - 2 cylindres

Pièces visibles :
1. Capot
2. Réa de lancement
3. Volant magnétique
4. Bloc cylindre
5. Culasse
6. Bougie
7. Pompe à essence
8. 2 fils de bougie
9. Bougie
10. Embase haute
11. Hélice
12. Embase inférieure
13. Crépine prise d'eau sous embase (invisible)

# MOTEUR DIESEL

## 4 cylindres

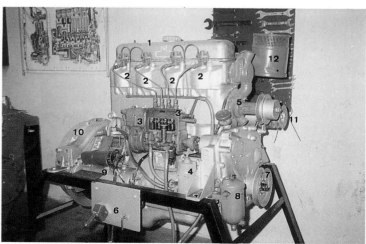

Pièces visibles : 1. Cache-culbuteurs — 2. Injecteurs (4) — 3. Pompe à combustible 4. Filtre à gazole — 5. Pompe de circulation — 6. Coupe-circuit — 7. Poulie motrice 8. Filtre à huile — 9. Démarreur — 10. Volant — 11. Alternateur — 12. Filtre à air.

ment la pompe de cale sur le circuit (prévoir les durites en conséquence). Se rappeler que l'eau de refroidissement peut pénétrer à l'intérieur du moteur par le joint de culasse en mauvais état ou par la culasse qui peut être fêlée (cas rare). On peut, à l'inverse, en cas de voie d'eau, faire aspirer cette eau par la pompe de circulation. Une durite adaptée et un collier type Serflex peuvent permettre de ne pas devoir débrancher le tuyau d'aspiration sur la vanne de coque parfois difficilement accessible. Ceci ne s'applique pas aux installations munies d'un robinet à 3 voies.

# RISQUES D'INCENDIE, D'EXPLOSION ET D'ASPHYXIE ET PROTECTION CONTRE CES RISQUES

Ces risques sont grands, à bord d'un navire, dus principalement à la manipulation et au stockage de l'essence ou du fuel. Il convient de les connaître et de prendre les précautions nécessaires.

## MANIPULATION DES COMBUSTIBLES

Procéder au transvasement dans des endroits aérés ou ventilés. Arrêter le moteur. Couper la batterie. Éteindre tous les feux qui brûlent à bord.

Ne pas fumer, ni s'éclairer d'un feu à flamme et avoir à sa portée un extincteur portatif.

Utiliser pour opérer le transvasement (surtout d'essence) des ustensiles (entonnoir, bec verseur, etc.) non ferreux. Essuyer immédiatement les débordements et jeter les chiffons d'essuyage.

Ne jamais tolérer la présence de combustible au fond de la cale, même en très petite quantité.

## STOCKAGE DES COMBUSTIBLES LIQUIDES (en particulier l'essence)

Les réservoirs à combustibles doivent être conformes aux prescriptions de l'arrêté du 23.11.87, ainsi, par exemple, être placés dans des lieux aérés et aisément accessibles.

Les tuyauteries de remplissage et de dégagement d'air doivent déboucher sur le pont. Celui du dégagement d'air et gaz doit être garanti d'un écran pare-flamme.

La conduite d'alimentation partant du réservoir jusqu'au moteur peut être métallique. Seule, la dernière partie se raccordant au moteur peut être flexible. Les raccords souples doivent répondre aux normes françaises en vigueur.

Le robinet de prise d'essence doit être facilement accessible et être commandé à distance dans certains cas.

Tout réservoir doit comporter un robinet de purge ou de vidange à sa partie la plus basse, un indicateur de niveau et être solidement fixé à la coque.

## LA VENTILATION DU COMPARTIMENT MOTEUR

Il convient d'assurer une bonne ventilation du compartiment moteur, avec arrivée d'air frais et évacuation de l'air vicié. Comme on l'a déjà recommandé au début de ce chapitre, avant la mise en marche du moteur, ouvrir le capot moteur et mettre en marche le ventilateur. En cas de moteur à essence, le ventilateur de cale est obligatoire ; il doit être mis en route 5 minutes avant le démarrage. Ventiler davantage par temps chaud.

## LES TUYAUX D'ÉCHAPPEMENT

La chaleur qui rayonne du collecteur d'échappement risque de communiquer le feu. Les gaz d'échappement sont toxiques. En conséquence, le collecteur d'échappement doit être calorifugé et recouvert d'une garniture protectrice de fine tôle. Il ne doit pas toucher les cloisons.

## L'ACCUMULATION DES LIQUIDES INFLAMMABLES DANS LES FONDS

On l'a dit plus haut : ne jamais tolérer la présence de combustible au fond de la cale. Si cela arrive, pomper immédiatement, éponger, rincer à l'eau, sécher et ventiler.

## LES BATTERIES D'ACCUMULATEURS

Elles sont dangereuses car elles dégagent un gaz explosif. Le liquide qu'elles contiennent est très corrosif. En conséquence, elles doivent être logées dans des coffrets étanches en matière inattaquable aux acides. Ces coffrets doivent être fixés bien droits afin d'éviter qu'ils ne se renversent au roulis et être placés dans des endroits aérés.

Les batteries doivent comporter sur les deux bornes un coupe-batterie.

## LES CONTACTS ÉLECTRIQUES

Des installations mal faites, négligées et mal isolées, peuvent donner lieu, par des courts-circuits, à des incendies. En conséquence :
— le réseau électrique doit être fait de fils de bonne qualité et placé sous gaine protectrice bien assujettie aux cloisons. Il doit être protégé par des fusibles calibrés ;
— ne pas attendre pour isoler un fil dénudé ;
— éviter les installations de fils volants provisoires ;
— ne jamais surcharger un fusible sous prétexte qu'il saute trop souvent ; en rechercher plutôt les causes ;
— périodiquement, vérifier le bon serrage des connexions, nettoyer les contacts, et contrôler l'isolement général avec un appareil de mesure.

## LES PIÈCES TOURNANTES

Elles doivent être protégées car elles constituent un grave danger. Principalement, le volant du moteur et aussi tout ce qui est en mouvement, engrenages, courroies, cardans, etc. Des masques doivent assurer cette protection. Parmi les pièces en mouvement, citons aussi l'hélice qui cause beaucoup d'accidents et qui doit être débrayée dès qu'un nageur ou un plongeur est à proximité.

## LES INSTALLATIONS DE GAZ BUTANE. LA CUISINE.

Ne jamais stocker les bouteilles de butane de plus de 3 kg de gaz à l'intérieur des locaux. Les placer à l'extérieur, à l'air libre sur le pont, bien fixées pour éviter qu'elles ne bougent. Les conduites de gaz partant des bouteilles doivent être métalliques et comporter des robinets d'arrêt.

Le type « camping-gaz » est plus sûr.

Les bouteilles de moins de 3 kg de gaz peuvent être à l'intérieur. Elles doivent être fixées directement sur les appareils. Le réchaud à pétrole du type « primus » est souvent considéré comme moins dangereux que le réchaud à gaz.

Les appareils à veilleuse (frigo et chauffage) doivent avoir une sécurité de flamme et une cheminée d'évacuation. S'il existe un moyen de chauffage électrique, les radiateurs devront être du type « obscur ».

Le système de suspension à la cardan des installations de cuisine devra être libre de tout obstacle et osciller sans entrave.

On choisira des ustensiles profonds et stables pour éviter des débordements pouvant éteindre le gaz (qui continue à se répandre) ou les causes d'incendie par huile de friture. Les ustensiles du type auto-cuiseur (cocotte-minute, par exemple) sont recommandés.

## L'ÉQUIPAGE

Les équipiers devront être sensibilisés aux différents risques précités.

Les conséquences seront moins sérieuses sur un bateau où le matériel est bien rangé, à la meilleure place selon son affectation que sur un rafiot en pagaille où les hameçons et les lignes de pêche se mêlent aux brassières de sauvetage, l'extincteur étant dans le local avant et inaccessible en cas d'incendie au moteur, etc. La cigarette allumée sera, bien entendu, proscrite lors d'une manipulation de combustible mais également dans les couchettes. De nombreux sinistres se sont déclarés, suite à cette pratique encore trop fréquente. On évitera également de faire sécher du linge (torchons de cuisine), chaussons mouillés ou cirés au-dessus du réchaud.

## LES EXTINCTEURS PORTATIFS

Ils doivent être homologués (avec la mention, en blanc sur fond vert : « PLAISANCE (tant de) KW MAXI ») et choisis en rapport de la puissance du moteur et également du bateau.

Tout extincteur doit porter inscrit sur le corps de l'appareil le mode d'utilisation et, sur une étiquette, la date de mise en service ou de la dernière visite de contrôle et de recharge.

Les extincteurs portatifs peuvent être :

— A mousse (pour tous les feux).

— A poudre (pour les feux d'hydrocarbures et électriques et tous feux si poudre polyvalente).

— A $CO_2$ (pour les feux d'hydrocarbures et électriques).

Le plus petit extincteur est du type 21 B. Il couvre de 1 à 150 kW (200 CV).

## LES MOYENS POUR ÉTEINDRE LES FEUX À BORD sont :

— les extincteurs portatifs ; (voir un modèle page 122)

— les couvertures mouillées ;

— le jet d'eau pour éteindre le feu des corps solides comme : bois, cordages, étoffes.

Ne jamais utiliser l'eau pour éteindre un feu d'hydrocarbures.

## LA LUTTE CONTRE UN DÉBUT D'INCENDIE

Ne jamais s'affoler et l'attaquer franchement en s'approchant le plus possible.

Diriger le jet sortant de l'extincteur à la base des flammes.

Supprimer au maximum les arrivées d'air (manches, capots, écoutilles, hublots) et orienter le navire de manière à ce que l'incendie soit sous-venté.

Couper la batterie, fermer le carburant mais laisser tourner le moteur qui videra ainsi le contenu de ses canalisations.

Éteindre le feu à l'aide d'extincteurs, de couvertures ou de vêtements mouillés.

Si le moteur est un hors-bord, le jeter à l'eau (avec un bout pour le récupérer).

Éloigner toute bouteille de gaz ou s'en débarrasser ainsi que la boîte de secours dans laquelle peut se trouver éther ou alcool.

Tenir les signaux de détresse et les engins de sauvetage prêts à servir en cas de non-possibilité d'extinction. Les écarter du local incendié.

# LES RISQUES D'ENVAHISSEMENT PAR L'EAU ET LA PROTECTION CONTRE CES RISQUES

**UNE VOIE D'EAU** peut se produire :

— par une déchirure ou dislocation de la coque, sous la ligne de flottaison ;
— par toutes les prises d'eau à la mer (moteur, évier, W.C. ; etc...) ;
— par les tuyauteries et durites du circuit d'eau de refroidissement du moteur ;
— par le presse-étoupe arrière du passage de l'arbre porte-hélice ;
— par les ouvertures mal fermées, en cours de mauvais temps, tels que hublots, manches à air, panneaux, etc.

**MOYENS QUE L'ON DOIT AVOIR A BORD** pour épuiser l'eau de la cale :

— la pompe de cale attelée au moteur ;
— la pompe de secours à main ;
— les seaux, les écopes et tout autre récipient ;
— parfois, la pompe de refroidissement qu'on peut disposer par un jeu de robinets et de durites pour aspirer la cale.

**LA LUTTE CONTRE L'ENVAHISSEMENT PAR L'EAU :**

Lorsqu'on s'aperçoit d'une présence anormale d'eau dans la cale, immédiatement mettre la pompe d'épuisement en action et rechercher l'origine de la fuite par où vient cette rentrée d'eau.

On peut diminuer l'entrée d'eau en mettant le navire à la gîte du bord opposé ou sur le nez pour réparer à l'arrière. Une réparation de fortune peut alors suffire pour regagner un abri et mettre le navire sur une plage. Il suffit parfois d'objets aussi peu encombrants qu'un jeu de pinoches de plusieurs tailles pour obturer de manière satisfaisante une avarie peu importante qui, sous l'effet de la pression de l'eau, peut cependant amener la perte d'un bateau.

# QUESTIONS PRATIQUES
## SUR LE MOTEUR

A l'examen (lors de l'épreuve pratique), il vous sera demandé de situer des pièces du moteur dont l'examinateur vous donnera le nom ou, au contraire, de donner le nom d'une pièce qu'il vous désignera.

Voici quelques questions de ce type. Vous trouverez les réponses page 113 (voir aussi p. 114).

### MOTEUR A EXPLOSION

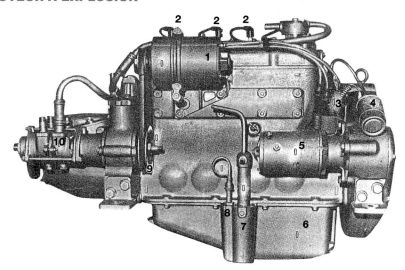

A — Désigner la bobine
B — Désigner les bougies
C — Désigner l'alternateur        } par leur numéro
D — Désigner le démarreur
E — Désigner l'allumeur

F — La pièce marquée 6 est :      a) le bloc fondation
                                  b) le carter

G — La pièce marquée 7 est :      a) pompe de vidange
                                  b) extracteur d'eau
                                  c) clé de serrage

H — La pièce marquée 8 est :      a) sonde à eau
                                  b) jauge d'huile

I — La pièce marquée 9 est :      a) poulie d'entraînement
                                  b) volant de régulation

J — La pièce marquée 10 est :     a) pompe à combustible
                                  b) pompe de circulation

A — Désigner la pompe de circulation
B — Désigner le démarreur
C — Désigner l'alternateur
D — Désigner le réducteur

} par leur numéro

E — La pièce marquée 15 est :
a) réservoir à gazole
b) carter d'huile
c) échangeur/refroidissement

F — La pièce marquée 16 est :
a) bloc de refroidissement
b) collecteur d'échappement

113

## RÉPONSES

### MOTEUR DIESEL

A — Pompe de circulation : N°11
B — Démarreur : N°12
C — Alternateur : N°13
D — Réducteur : N°14
E — (N°15) Échangeur
F — (N°16) Collecteur d'échappement

### MOTEUR A EXPLOSION

A — Bobine : N°4
B — Bougies : N°2
C — Alternateur : N°1
D — Démarreur : N°5
E — Allumeur : N°3
F — (N°6) - Carter
G — (N°7) - Pompe de vidange
H — (N°8) - Jauge d'huile
I — (N°9) - Poulie d'entraînement et courroie
J — (N°10) - Pompe de circulation

# TESTS DE CONTRÔLE
## « MÉCANIQUE »

*On trouvera ci-dessous 29 questions sur la mécanique (certaines réponses auront l'intérêt de compléter ce qui a été dit dans ce chapitre). Réponses page ci-contre. Ne trichez pas en regardant tout de suite les réponses !*

1 — Où doit-on placer le robinet d'essence ou de gazole ?

2 — Comment s'aperçoit-on que le flotteur de carburant n'est pas étanche ?

3 — Si on oublie de couper le contact sur un moteur à explosion, quel organe risque-t-on d'avarier ?

4 — D'où peut provenir un défaut de compression dans un moteur à 4 temps ?

5 — Un défaut d'allumage semble provenir du circuit intégré. Que devez-vous faire ?

6 — Citez trois manières de s'apercevoir que le moteur chauffe anormalement ?

7 — Que comprime le piston dans un moteur à combustion interne ?

8 — Que devez-vous faire si la dynamo ou l'alternateur ne chargent plus ?

9 — Quelle proportion d'huile ajoutez-vous à l'essence pour un moteur à explosion à 2 temps ?

10 — Quelles précautions doit-on prendre contre l'incendie ou l'asphyxie ?

11 — Le moteur ne part pas. Que doit-on vérifier ?

12 — Le gazole n'arrive pas à l'injecteur. Que faites-vous en premier ?

13 — Combien d'huile rajoutez-vous à l'essence pour un moteur hors-bord à injection mécanique d'huile ?

14 — Le moteur n'a plus de compression. Pourquoi ?

15 — Donnez la liste des objets de rechange pour navire à moteur à essence de 4e catégorie.

16 — Quelles précautions devez-vous prendre pour recharger une batterie ?

17 — D'où peut provenir un défaut de refroidissement ? Quelles mesures pouvez-vous prendre pour y remédier ?

18 — Quelles précautions devez-vous prendre avec un extincteur à $CO_2$ ?

19 — Vous avez le feu à bord. Que devez-vous faire ?

20 — Quelles sont les différentes causes de défaut d'alimentation dans un moteur à explosion ?

21 — Que doit-on mettre dans une batterie dont le niveau est trop faible ?

22 — Quel doit être l'écartement des électrodes d'une bougie ?

23 — Que signifie la présence d'eau dans l'huile du carter ?

24 — Quel mélange brûle un moteur à explosion ?

25 — Quelles peuvent être les causes d'une mise à la masse d'une bougie ?

26 — D'où peut provenir une entrée d'eau dans le compartiment moteur ?

27 — Il y a de l'eau dans le réservoir à essence. Que devez-vous faire ?

28 — Votre moteur hors-bord refoule de la vapeur à l'échappement. Que devez-vous faire et contrôler ?

29 — Quelles sont les précautions à prendre avec les différentes pièces tournantes existant dans les compartiments moteur ?

# Réponses aux tests de contrôle «mécanique» (page 114)

1 — Sur le réservoir lui-même.
2 — Le moteur fume noir, s'étouffe et stoppe s'il est en route. S'il est stoppé, l'essence coule à l'extérieur du carburateur.
3 — La bobine.
4 — Soupape bloquée ouverte ou en mauvais état. Mauvais état des segments.
5 — Ne pas y toucher. Contacter le spécialiste de la marque du moteur.
6 — Vapeur à la sortie de la circulation d'eau. Température excessive au thermomètre et au toucher. Baisse de pression d'huile.
7 — De l'air (à 35 kg environ. Température 600°).
8 — Vérifier la courroie et rentrer au port sans stopper si on a un démarrage électrique. Éviter de tirer sur les batteries.
9 — 1 à 5 % suivant les modèles.
10 — Contre l'incendie : fuites de carburant, dépôts graisseux, accumulation de chiffons gras. Éloigner les matériaux combustibles de toute source de chaleur. Avoir contacts électriques francs et batterie bien isolée. Bonne ventilation du local moteur. Bouteilles de gaz de plus de 3 kg en dehors des locaux. Pas de flamme nue près du local moteur. Carburateur anti-retour de flamme et gattes qui recueillent les fuites de combustible.
Contre l'asphyxie : Avoir échappement en bon état. Se méfier des gaz d'échappement par vent arrière. Attention aux matériaux plastiques chauffés (polystyrène). Ne pas stocker de $CO_2$ dans les locaux (extincteurs). Veiller à la bonne ventilation.
11 — Moteur essence : vérifier allumage et arrivée d'essence.
Moteur diesel : vérifier l'arrivée du combustible (amorçage des pompes) et la compression.
12 — Purger le circuit de l'air qui peut s'y trouver et vérifier le filtre à combustible.
13 — Sans objet car l'huile se trouve dans un réservoir séparé et est injectée dans l'essence par le moteur lui-même.
14 — Voir soupapes et segments.
15 — Bougies (avec une clé), fils, canalisation souple, etc (donner la liste page 138).
16 — La recharger dans un local aéré. Éviter toute flamme ou étincelle à proximité.
17 — Crépine aspiration bouchée. Vanne de coque fermée. Entraînement de la pompe défectueux, mauvais état de la pompe ou du circuit ou du réfrigérant s'il y en a un.
18 — Éviter de le stocker dans les locaux d'habitation. Ne pas respirer les vapeurs si on l'utilise.
19 — Sous-venter la zone d'incendie. Stopper la ventilation. Étouffer le foyer d'incendie (couverture, sac). Couper l'arrivée du combustible sans stopper le moteur. Éteindre au moyen des extincteurs ou manche à incendie ou seau suivant la nature du feu. Préparer les signaux de détresse et envisager l'abandon du navire dans le calme.
20 — Tuyautage obstrué ou écrasé. Avarie de la pompe (voir membrane). Gicleurs bouchés. Défaut de carburant.
21 — De l'eau distillée.
22 — 4 à 6 dixièmes de millimètre.
23 — Entrée d'eau par chemise fêlée, joint de culasse en mauvais état.
24 — De l'air et de l'essence.
25 — Forte humidité, porcelaine fêlée, fil d'arrivée dénudé.
26 — Par le presse-étoupe arrière, par la prise d'eau à la mer du circuit de refroidissement, par une fuite à ce même circuit.
27 — La décanter par le décanteur ou le robinet-purge placé sous le réservoir
28 — Diminuer le régime, débrayer, incliner le moteur pour vérifier si les lumières d'aspiration ne sont pas engorgées. Sinon, stopper et vérifier la pompe.
29 — Afin d'éviter les accidents, protéger les volants, courroies, cardans, engrenages, par des masques, grillages ou rambardes, empêchant de mettre la main dessus par inadvertance.

# 8

# ÉPREUVE PRATIQUE

P. WADOUX

Nous rappelons que le passage de l'épreuve pratique est subordonnée à la réussite préalable de l'épreuve théorique générale par Q.C.M. et que cette épreuve pratique doit s'effectuer sur un navire de plus de 2 tonneaux, équipé d'un moteur de plus de 50 CV (37 kW) d'un type approuvé au moins en 5e catégorie et doté de tous les équipements indiqués page 7 de ce code.

Les exercices qui vous seront demandés et qui seront détaillés dans les pages suivantes sont :

— Mettre une brassière de sauvetage ;
— Mettre en marche le moteur, appareiller ;
— Manœuvrer sur un parcours en forme de 8 à différentes vitesses, dont la vitesse maximale compatible avec le lieu, en virant à bâbord ou à tribord quand l'exécution du parcours le demande ;
— Casser son erre en utilisant la marche arrière en cours de parcours ;
— Manœuvrer pour récupérer un homme à la mer ;
— Procéder à une prise de coffre ou de bouée ;
— Suivre un cap ;
— Suivre un alignement par l'avant et par l'arrière ;
— Simuler l'emploi d'une fusée ou d'un feu automatique ;
— Simuler l'emploi d'un extincteur ;
— Situer 3 éléments mécaniques importants : niveaux, coupe batterie, courroie d'alternateur, sortie d'eau, vanne de coque, bougie, injecteur… ;
— Accoster ;
— Amarrer le navire.

La durée de l'épreuve pratique doit être de l'ordre de 15 minutes.

## METTRE UNE BRASSIÈRE — N'oubliez pas !

## AVANT L'APPAREILLAGE

Pour votre propre sécurité et aussi parce que cela peut vous être demandé à l'examen, avant de mettre le moteur en marche il est nécessaire que, tout au moins sur le plan des principes, vous connaissiez les précautions et préparatifs à prendre et/ou à accomplir avant le lancement du moteur.

— Ventiler fortement le compartiment moteur en ouvrant le capot et en mettant le ventilateur en route durant au moins 5 minutes. Par temps chaud et si vous avez un moteur à essence intérieur, ventilez davantage que pour un moteur diesel.
— Vérifier le niveau d'essence du réservoir et décanter de manière à évacuer l'eau qui peut s'y trouver.
— Vérifier la jauge à huile (un excès d'huile à la jauge provient, la plupart du temps, d'eau qui a pu pénétrer dans le carter par la jauge, ou dans le cylindre par un joint de culasse en mauvais état ou une culasse fêlée). Vérifier le niveau d'huile du réducteur s'il y en a un.

— Ouvrir la prise d'eau à la mer.
— Vérifier la crépine d'aspiration à la mer ainsi que la crépine d'aspiration de la pompe de cale.
— Vérifier l'état de la batterie d'accus, (niveau de l'électrolyte et serrage des cosses).
— Mettre au point mort, s'assurer qu'il n'y a pas d'obstacle à l'hélice (cordage par exemple).
— Brancher le cordon coupe-circuit de sécurité.

## MISE EN MARCHE DU MOTEUR
— Le moteur étant débrayé, le dégommer à la manivelle.
— Mettre un peu de gaz et de starter (qu'on coupera dès que le moteur aura pris un peu de température). (1). Effectuer le préchauffage sur un diesel si ce dispositif existe.
— Lancer le moteur à la manivelle ou au démarreur. S'il est froid, employer un peu de « start-pilote » à l'aspiration d'air mais sans excès. Après plusieurs essais infructueux, il est possible que les bougies soient noyées ou humides. Essuyer les porcelaines et les jonctions câbles/bougies si besoin, faire tourner le moteur, gaz ouverts mais carburant coupé. S'il y a nécessité de démonter une bougie sur un moteur H.B. mettre un seau à l'arrière sous le moteur pour que bougie et outillage ne tombent pas à l'eau.
Un moteur tousse, siffle, claque, chuinte, fume, etc. d'où savoir reconnaître (à l'usage) les symptômes du plus ou moins bon fonctionnement, à l'oreille et au nez.

## APPAREILLAGE D'UN QUAI

### a) Sans vent ni courant

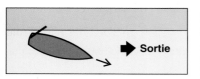

Si le navire est axé vers la sortie, larguer devant, conserver la garde montante AR, faire en arrière lente en ayant soin de ne pas envoyer l'hélice contre le quai. Faire route lorsque l'avant est assez débordé.

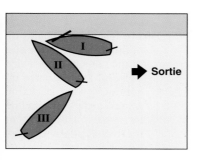

Si la sortie est opposée à la direction du navire, ne conserver que la garde montante AV, mettre le gouvernail du côté du quai, faire en avant lente sur la garde pour déborder l'arrière.
Culer en inversant la barre puis mettre le cap sur la sortie lorsqu'on est sûr que l'on pare le quai.
Rentrer les défenses.

### b) Avec vent traversier collant le navire à quai.
Il sera nécessaire d'augmenter l'allure du moteur pour pouvoir décoller le navire. Si cette manœuvre n'est pas suffisante, déhaler le navire au moyen d'une amarre envoyée au vent sur un point fixe (autre quai, coffre... ou remorqueur !).

(1) Sur de nouveaux moteurs, le starter automatique a remplacé le starter à main.

## c) Avec courant de l'avant.

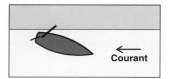

On peut, la plupart du temps, se passer du moteur, le courant étant suffisant pour écarter le navire.

**d) Avec courant de l'arrière,** ne conserver qu'une amarre à l'avant et laisser pivoter le navire. On se trouve ramené à un appareillage debout au courant.

L'appareillage d'un petit navire peut présenter certaines difficultés lorsqu'il faut évoluer dans un petit espace, sortir d'un catway avec 20 centimètres de marge par rapport au superbe voisin qu'il ne faut pas érafler...

Tout d'abord, pas d'affolement, garder les pare-battages tant que la sortie n'est pas assurée, éviter les mouvements intempestifs de barre et de moteur, se déhaler le plus possible à la main ou à la gaffe toujours disponible. Avoir aussi un aviron de queue pour aider éventuellement un évitage. Ne pas chercher à lutter contre le vent mais s'en servir en exploitant le fait qu'un bateau stoppé se met en position d'équilibre avec le vent de travers ou qu'il recule l'arrière dans le lit du vent, en marche arrière.

Les manœuvre de déhalage et/ou de pivotement manuelles ne présentent pas de grandes difficultés mais, si l'on est seul sur un bateau un peu lourd, garder une amarre passée en double en sécurité pour ne pas avarier les voisins. Si le vent vous colle à quai, cette amarre en double passée en garde montante vous permettra d'appareiller, même si vous n'avez personne sur le quai pour larguer ce « bout ».

## APPAREILLAGE ÉTANT AU MOUILLAGE

**1° On dispose d'assez de place pour évoluer.** — Dans ce cas, virer la chaîne en s'aidant au besoin du moteur si elle force trop.

Embrayer dès que l'ancre est dérapée (décrochée du fond). Prendre l'allure normale dès que l'ancre est à poste sur le pont ou dans son écubier.

**2° La zone d'évitage est restreinte** (cas d'une rivière).

L'appareillage ne permettrait pas d'éviter de 180°. Dans ce cas, virer la chaîne de manière à ce qu'elle drague sur le fond. Faire en avant avec la barre du côté d'où vient la chaîne jusqu'à avoir le courant de l'arrière. Déraper et mettre à poste comme précédemment. Dans cette manœuvre délicate, bien observer le comportement du navire dont l'axe doit être parallèle au courant lorsqu'on dérape.

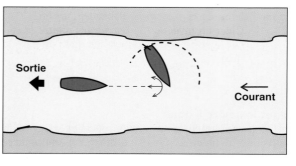

# ÉVOLUTIONS

Votre bateau étant en ordre de route vers la sortie, rentrer défenses et pare-battages qui vous freineraient, avec production d'embruns, en route libre. Vérifiez que vous n'avez rien à la traîne qui risquerait de se prendre dans l'hélice. Attention aux manœuvres des autres bateaux et aux prames qui transbordent des équipiers. Même des vaguelettes peuvent leur causer des ennuis.

Au cours de l'examen, il vous sera demandé d'effectuer un parcours au cours duquel vous allez évoluer. Ces évolutions sur tribord ou sur bâbord devront être faites franchement mais sans brusquerie ni brutalité. Dans le port, les embardées, barre toute à droite ou toute à gauche, seront effectuées à vitesse réduite et en tenant compte de l'environnement. Ces manœuvres doivent pouvoir vous faire comprendre que si, plus tard, vous manœuvrez trop brutalement un pneumatique évoluant à 30 nœuds grâce à son 50 CV, vous risquez d'éjecter vos passagers qui ne disposeront que d'une poignée pour se tenir assis sur le boudin du bateau.

Un certain nombre de manœuvres avant l'examen vous permettront de vous habituer aux réactions d'une petite unité.

## CASSER SON ERRE PAR LA MARCHE ARRIÈRE

Lorsqu'étant à bonne allure en avant, vous devez, ou on vous le demande, casser votre vitesse sur l'eau, diminuer les gaz, passer sur marche arrière en gardant votre barre droite, puis accélérer jusqu'à ce que le bateau soit stoppé. Le fait d'inverser la marche du moteur sans d'abord diminuer l'allure est suffisant pour être recalé à l'épreuve du permis.

Et, comme on est un peu nerveux ce jour là, les réflexes sont parfois trop rapides. Se préparer plusieurs fois à cet exercice.

Si l'examinateur vous demande, une fois stoppé, de continuer votre marche arrière, n'oubliez pas que votre bateau reculera dans le sens où vous avez orienté votre safran. Bien sûr, l'avant fera l'inverse. Habituez vous à ce genre de navigation en arrière car il n'est pas rare de naviguer de cette manière dans une rade encombrée, pour en sortir par exemple.

## SURVEILLANCE PENDANT LA MARCHE

Bien qu'à l'examen vous ne soyez pas directement concerné par le fonctionnement d'un moteur qui appartient à quelqu'un d'autre, opérez comme si vous effectuiez une traversée, seul et comme propriétaire.

Dans ce cas, il est prudent de tâter les paliers, le bloc cylindre, l'eau de circulation (sortie d'eau à l'arrière souvent près du barreur).

Un coup d'œil au presse-étoupes arrière (un capot à soulever), l'ampèremètre de la batterie (ou témoin au tableau de bord), le fonctionnement de la pompe de cale, (le fond de cale doit être presque sec) et, comme il a déjà été dit précédemment, savoir écouter et sentir les éventuels chocs, vibrations, ratés, odeurs de brûlé anormales, etc.

## SAUVETAGE D'UN HOMME TOMBÉ A LA MER

Dans certains centres on peut demander que la manœuvre de sauvetage d'un homme à la mer s'effectue selon la méthode de Boutakoff, bien que cette méthode ne soit normalement utilisée que par les grosses unités ou par temps bouché ou de nuit.

Lorsqu'un homme tombe à la mer, l'homme de barre doit venir du côté où la chute s'est produite, de manière à écarter tout de suite l'arrière (donc l'hélice qui risquerait de blesser le naufragé). Cette manœuvre doit être ample : de 60 à 90 degrés.

Puis il faut mettre « barre toute » du côté opposé, de manière à revenir sur une route inverse (à 180°) du cap initial.

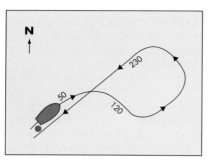

Ci-contre, homme à la mer à tribord.

Cap du navire : 50. Le navire vient alors jusqu'à 120 puis fait « barre toute » à gauche jusqu'au cap 230 qui est la route inverse du cap initial (50 + 180).

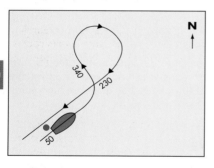

Homme à la mer à bâbord. Le navire faisait la même route au 50. Il vient à 70° sur la gauche, c'est-à-dire le cap 340 (50 – 70 = – 20 soit 360 – 20 = 340) puis « barre toute » à droite jusqu'au cap 230, inverse du cap initial (50 + 180).

En arrivant sur le naufragé, il convient de débrayer ou couper le moteur et **se mettre au vent du naufragé** pour mieux le repêcher.

La manœuvre de Boutakoff peut donc être demandée à l'examen mais, dans la pratique, pour les petites embarcations, la manœuvre est la suivante :

— Stopper immédiatement et, si possible, lancer une bouée en direction du naufragé.

— Remettre les gaz et évoluer de manière **à venir au vent** de la personne tombée à l'eau.

— Venir droit sur elle lentement mais en restant manœuvrant.

— Débrayer au moment d'arriver sur elle.

— La saisir et la remonter à bord.

## PRISE DE COFFRE OU DE BOUÉE

Arriver au coffre, face au vent ou au courant avec une vitesse faible, à l'allure juste suffisante pour demeurer manœuvrant. Attraper l'œil de la bouée de corps mort, la monter à bord, tirer sur le cordage ou la chaîne en les faisant passer par le chaumard avant et tourner au taquet. Stopper ou mettre au point mort.

Si l'on est seul et que par suite du vent ou du courant l'on n'est pas assuré de pouvoir réussir à gaffer la bouée, avant d'arriver, faire passer en double par le chaumard avant un cordage partant de l'arrière et y revenant. En attrapant la bouée, sans quitter la barre, il suffit de l'amarrer au cordage et tirer sur celui-ci pour envoyer la bouée par l'avant et permettre ainsi au navire d'être face au vent, presque à son poste. On se rend alors à l'avant pour parfaire l'amarrage.

## PRISE D'UN MOUILLAGE

Arriver au point choisi avec très peu d'erre en avant ou en arrière. Si l'on mouille, étant en marche arrière, laisser tomber l'ancre lorsque le remous de l'hélice arrive au milieu du navire. Pour un petit navire, stopper et laisser tomber l'ancre lorsque l'erre est cassée et que l'on commence à dériver.

Attendre que le navire ait « fait tête » sur son ancre, chaîne raidie, ancre bien crochée, avant de serrer le frein ou de tourner « à demeure » la chaîne ou le cordage au taquet avant.

Éviter de mouiller sur fond rocheux, sinon amarrer un filin avec flotteur (en dehors d'une zone fréquentée), sur les pattes de l'ancre pour pouvoir les décrocher éventuellement. Prendre des points de repère, (alignements) pour vérifier que l'on ne chasse pas. (dérive)

## RÉAPPAREILLAGE

Si l'on n'est pas resté trop longtemps au corps mort, vérifier quand même qu'un équipier n'a pas fermé la vanne de coque (circulation d'eau de refroidissement du moteur), vérifier les niveaux après un certain temps d'arrêt. Vérifier si la consommation de carburant n'a pas été anormale et s'il en reste suffisamment pour le reste de la traversée. Et toujours un coup d'œil à l'arrière pour voir si un morceau de vieux filet, d'amarre, ou une botte de goémon ne s'est pas entortillé autour de votre gouvernail ou du propulseur.

Le navire étant face au vent ou au courant, on peut, en larguant le mouillage, et la bouée au dernier moment, appareiller sans manœuvrer.

Par contre, si, du fait de la présence d'autres navires au corps mort vous devez appareiller à un cap différent de celui que vous aviez, il est possible d'orienter le navire en se servant de l'orin le long du bord comme d'un point fixe autour duquel tournera votre navire jusqu'au cap de dégagement désiré.

Veiller à ne pas prendre cet orin avec l'hélice ou le gouvernail.

**SIMULATION D'EMPLOI D'UNE FUSÉE.** Au cours de la simulation qui vous sera demandée pour les artifices utilisés sur les navires, les manipulations devront être faites avec le plus grand sérieux pour éviter tout accident d'une part, ou le déclenchement d'une certaine forme d'alerte qui ne serait pas justifiée d'autre part.

Le mode d'emploi, inscrit sur le corps de la fusée est à respecter intégralement. D'une façon générale les feux à main doivent être tenus verticalement avec une très légère inclinaison vers l'extérieur du navire, et « sous le vent ».

Tenir fermement le corps de cet artifice, en se protégeant la main par un chiffon ou une casquette, la flèche dessinée sur le corps de la fusée dirigée vers le haut. Dévisser les bouchons (certaines fusées n'en ont pas) et tirer la ficelle, en base inférieure, vers le bas. Comme les fusées n'ont pas toutes le même mode d'emploi, il est nécessaire de bien connaître son propre matériel.

Fusées à parachute et fusées à étoiles s'utilisent de la même manière, mais ont des performances différentes.

## SIMULATION D'EMPLOI D'UN FEU À MAIN.

Comme la fusée, lire attentivement le mode d'emploi et le respecter. Se garnir la main d'un chiffon si l'on craint un léger échauffement en cours d'ignition. Tenir le feu à bout de bras, vertical et un peu incliné vers l'extérieur du navire et « sous le vent » pour permettre aux cendres chaudes de tomber à l'eau et non sur le pont.

Nous citons dans cette page le fumigène orange, plus visible en été ensoleillé de jour que les fusées à étoiles, mais qui n'est exigé qu'à partir de la 3e catégorie de navigation.

Changer les artifices de détresse à leur date limite d'utilisation.

## UTILISATION SIMULÉE D'UN EXTINCTEUR.

Il est prudent de connaître le fonctionnement avant qu'un incendie ne se déclare. Ceci est d'autant plus vrai que l'utilisation est facile à apprendre et que, quand le feu se déclare, les premières secondes sont celles où l'on gagne ou celles où l'on perd.

Il suffit de dégoupiller la manette, de diriger la buse de l'appareil vers le foyer (ou base des flammes) et de contrôler le débit à l'aide du bouton poussoir. L'extincteur doit être facilement accessible et contrôlé régulièrement.

## SUIVRE UN CAP AU COMPAS

Étant à la barre, on s'aperçoit que dès que le navire s'écarte du cap que l'on s'est donné, le repère de la ligne de foi se déplace dans le sens inverse de l'embardée (rappelons que la ligne de foi matérialise l'axe longitudinal du navire. C'est donc elle qui, en réalité, se déplace).

Le premier réflexe étant de vouloir aller vers la ligne de foi a pour effet d'accentuer l'écart du navire. En effet, si le cap qu'on s'est fixé semble se déplacer à gauche de la ligne de foi, c'est qu'en réalité le navire abat sur la droite. Si vous croyez ramener le cap sur la ligne de foi en venant sur la droite, votre coup de barre à droite accentuera encore l'embardée sur ce bord. Exemple :

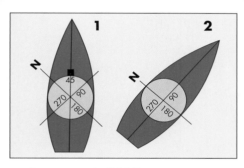 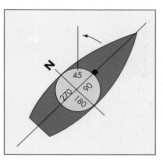

Le cap passe de 45 à 90° :
Le navire embarde sur la droite.

Pour revenir de 90 à 45°,
il faut donc abattre sur
la gauche.

En dehors de tout repère extérieur qui permette de gouverner à vue (de nuit ou par brume, par exemple) il faut s'astreindre à faire revenir le navire :
— sur la gauche quand le cap a augmenté de valeur (c'est le cas exposé ci-dessus) :
— sur la droite quand le cap a diminué de valeur.

## FAIRE UN POINT PAR RELEVEMENT

Cette manœuvre prévue initialement à l'épreuve pratique a été supprimée par l'arrêté du 1er juin 1994. « Faire le point par plusieurs relèvements ou gisements et porter ce point sur la carte » relève uniquement du programme de l'épreuve théorique de navigation qu'il faut réussir pour obtenir le permis mer **hauturier** (voir le volume 2 du Code Vagnon de la mer, « Permis hauturier »).

Bien que cela ne soit plus du programme du permis côtier, nous avons néanmoins évoqué le relèvement et le gisement dans le chapitre des règles de barre et de route (pages 47 et 48 de ce code).

## SUIVRE UN ALIGNEMENT

Un alignement existe dès lors que l'on a, sur une même ligne, deux objets ou amers fixes, visibles l'un par l'autre.

Si l'on veut demeurer sur un alignement pour se situer dans l'axe d'un chenal, ou pour parer un danger, ou pour vérifier le bon fonctionnement d'un compas, etc. il faut, en dehors de toute dérive transversale, tenir les deux amers l'un par l'autre dans l'axe du navire.

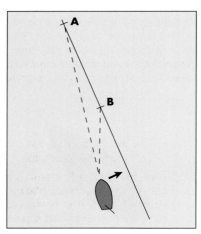

On voit B à droite de A.
Venir sur tribord

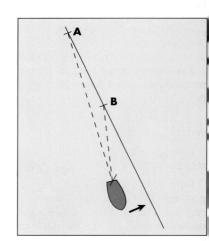

On voit B à droite de A.
Venir sur bâbord

Donc à l'entrée comme à la sortie, bien que ces deux exemples indiquent qu'il faut inverser la barre et le sens de l'abattée, **il faut toujours revenir vers le feu antérieur** lorsque l'on n'est plus sur l'alignement.

Nota : un fort courant ou un fort vent traversier vous obligeront à « marcher en crabe », c'est-à-dire avoir un cap oblique par rapport à l'alignement.

## ACCOSTAGE D'UN QUAI ET AMARRAGE

**Principe essentiel.** — On doit toujours, autant qu'il est possible bien sûr, accoster debout au vent ou au courant.

De préférence, accoster bâbord à quai. Se présenter avec une inclinaison de 30 à 50° par rapport au quai. Avant d'arriver à quai, mettre en AR. L'avant vient sur tribord et l'arrière accoste. La distance du quai à partir de laquelle il faut mettre en arrière est fonction de la puissance du moteur, de l'inertie du navire, de ses qualités manœuvrières. Les défenses doivent être à poste avant l'accostage.

Avec vent ou courant debout, cette manœuvre est facilitée par le fait que l'on peut se servir de l'hélice plus longtemps. Dans ce cas, envoyer en premier l'amarre debout avant.

Avec vent traversier écartant le navire, envoyer des amarres AV et AR à terre, faire avant et arrière en prenant le mou quand c'est possible au fur et à mesure, en tenant l'hélice claire.

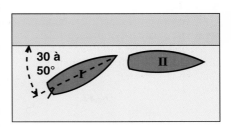

Avec vent portant sur le quai, se présenter plus parallèle à ce dernier. Au besoin, mouiller une ancre à draguer ou retenir le navire au vent par une amarre. De toute façon, bien présenter les défenses.

Avec courant ou vent de l'arrière, éviter le navire de façon à accoster debout au vent ou au courant.

Lorsqu'on accoste tribord à quai, il faut se présenter parallèle au quai avec le moins de vitesse possible. Essayer d'utiliser le moteur en arrière le moins possible.

Dans tous les cas, la manette des gaz doit être au ralenti et, dans la mesure du possible, il ne faut se servir que du stop et de la marche AV. Avoir le poste d'amarrage en point de mire, surveiller la tenue du cap et la dérive. Rectifier les écarts par des mouvements de barre « à demi » et de légères accélérations uniquement pour revenir au cap initial.

**L'amarrage** : compte tenu du coût des réparations de coque, on n'amarre jamais trop bien son bateau. Trop fort n'a jamais manqué. Bien entendu, ne pas craindre de mettre 3 ou 4 pare-battages de chaque bord.

Vous trouverez, à la page suivante, quelques exemples de nœuds marins. Les deux premiers vous permettront d'amarrer correctement votre bateau et votre examinateur sera impressionné favorablement.

## ARRET DU MOTEUR

Il s'effectue dès lors que votre navire est positionné à quai, sur son catway, ou au mouillage lorsque l'ancre a « fait tête », navire face au vent ou au courant.

Arrêter le moteur à l'aide du stop (éviter d'utiliser le décompresseur ou le robinet d'alimentation). Pour un séjour prolongé à quai, couper le courant et fermer la vanne de prise d'eau à la mer.

## SITUER 3 ÉLÉMENTS IMPORTANTS DU MOTEUR

Au cours de l'épreuve pratique, l'examinateur aura pu vous demander de situer sur le moteur, trois éléments importants de celui-ci. Vous avez étudié le sujet dans le chapitre de la mécanique, pages 112 et 113. Il convient de s'y reporter.

## MATELOTAGE

A l'épreuve pratique, l'examinateur pourra vous demander d'amarrer correctement votre bateau. Apprenez à faire les quelques nœuds ci-dessous qui vous seront nécessaires, ensuite, dans votre navigation.

Amarrage à un bollard (A), à un barreau ou anneau (B), tour mort et deux demi-clés (C)

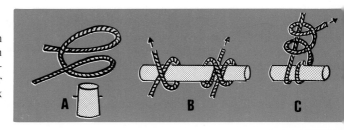

Amarrage à un taquet (Toujours faire 1 ou 2 tours morts avant les « 8 »)

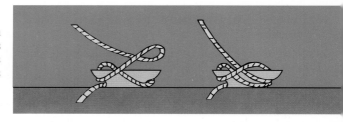

Nœud de chaise (pour faire une boucle à l'extrémité d'une amarre).

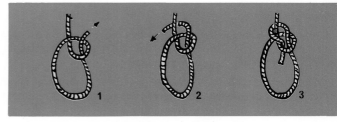

Demi-nœud (sert à empêcher une drisse de quitter le taquet ou de passer dans la gorge d'une poulie)

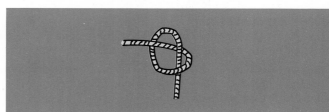

Nœud d'écoute (pour l'assemblage de 2 bouts). Tenue meilleure et plus facile à larguer quand il est double.

# RÉPONSES AUX TESTS DE CONTRÔLE

## des pages 57 et 94

1 — Les marques : latérales - cardinales - de danger isolé - d'eaux saines - spéciales.

2 — C'est une marque de couleur rouge dont le voyant est un cylindre rouge et dont le feu est rouge, de rythme quelconque (sauf 2 éclats groupés + 1).

3 — C'est une obstruction découverte récemment et qui n'est pas encore portée sur les cartes marines : une épave par exemple.

4 — Je ne change pas de cap. Il s'agit d'une cardinale Sud et ma route, précisément, passe au Sud de la marque.

5 — C'est le feu d'une marque spéciale.

6 — C'est le feu d'une marque d'eaux saines.

7 — Je la laisse de préférence sur la gauche car elle indique chenal préféré à tribord.

8 — Il s'agit d'une cardinale Est. Puisque je fais route au Sud, je viens sur bâbord de manière à passer à l'Est de la marque.

9 — Navire au mouillage de moins de 100 mètres.

10 — Danger grave. Port fermé. Tous les navires doivent s'arrêter ou se dérouter.

11 — C'est un signal de détresse. Je me porte au secours de ce navire.

12 — Un son prolongé suivi de 3 sons brefs, à des intervalles ne dépassant pas 2 minutes.

13 — M'écarter de sa route.

14 — Le plus perpendiculairement possible à la direction du trafic.

15 — Je viens sur la droite pour passer par bâbord de l'autre navire.

16 — Dans l'incertitude, je dois me considérer comme rattrapant et manœuvrer en conséquence. Je m'écarte donc de l'autre navire.

17 — C'est un navire qui n'est ni mouillé, ni amarré à terre, ni échoué.

18 — Lorsque le relèvement de l'autre navire en vue ne change pas.

19 — C'est le navire qui voit l'autre par tribord qui doit s'écarter de la route de ce dernier.

20 — Navire handicapé par son tirant d'eau.

21 — Navire non maître de sa manœuvre, avec erre. Je m'en écarte.

22 — Navire transbordant des matières dangereuses.

23 — Non. Il doit les montrer parce qu'il est mouillé dans un chenal étroit.

24 — a) Une marque formée de deux cônes superposés réunis par la pointe ;
b) Un cône la pointe en haut, dans l'alignement de l'engin.

25 — Chalutier de plus de 50 mètres, avec erre, halant son chalut sur tribord.

26 — Je peux montrer simplement un feu blanc visible sur tout l'horizon et, si possible, les feux de côté.

27 — Trois boules superposées, à l'endroit le plus visible.

28 — Je vois : les deux feux blancs de tête de mât, son feu de côté rouge et 3 feux rouges superposés visibles de tout l'horizon.

29 — Pavillon alpha du code international (blanc et bleu) ou pavillon rouge portant une croix de Saint-André blanche ou une diagonale blanche.

30 — 300 mètres

31 — Celui indiqué sur la plaque signalétique apposée à l'intérieur de l'embarcation.

32 — Un port ou un plan d'eau où le navire peut facilement trouver refuge et où les personnes embarquées peuvent être mises en sécurité.

33 — Pour tous les moteurs équipant les navires habitables et pour les moteurs fixes des navires non habitables.

34 — Oui. Une par personne (+ 10 % pour les navires de plus de 5 mètres, au-delà de 10 personnes).

35 — Non. La 5ᵉ catégorie n'autorise qu'une navigation jusqu'à 5 milles d'un abri.

36 — Oui. De la 4ᵉ à la 1ʳᵉ catégorie.

# LE LIVRE DE TESTS VAGNON MER "CÔTIER"

5 chapitres sont abordés successivement :

1. Balisage région A.
2. Règles de barre et de route. Signaux (phoniques, portuaires, de détresse, météo).
3. Feux et marques des navires.
4. Sécurité.
5. Moteur, incendie, envahissement par l'eau.

Au total, 230 questions du type de celles posées à l'examen. Les réponses sont données à la suite, avec un commentaire explicatif.

# LES PLANCHES AUTOCOLLANTES (VAGNON) (Format 210x270)

Tout le balisage maritime

Tous les feux et marques des navires

Les signaux de détresse
Les alphabets "international" et morse

# SIGNAUX

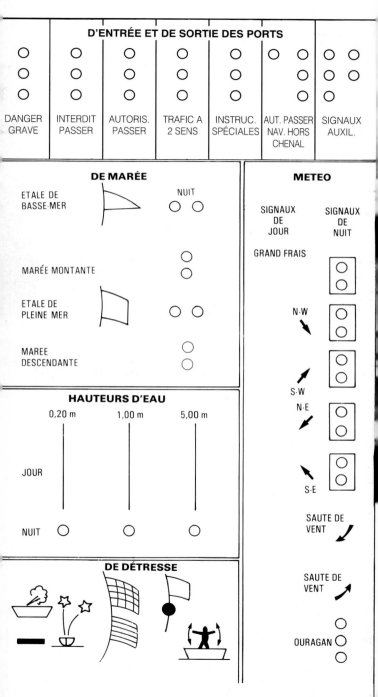

## D'ENTRÉE ET DE SORTIE DES PORTS

| DANGER GRAVE | INTERDIT PASSER | AUTORIS. PASSER | TRAFIC A 2 SENS | INSTRUC. SPÉCIALES | AUT. PASSER NAV. HORS CHENAL | SIGNAUX AUXIL. |
|---|---|---|---|---|---|---|

## DE MARÉE

ETALE DE BASSE-MER — NUIT

MARÉE MONTANTE

ETALE DE PLEINE MER

MAREE DESCENDANTE

## HAUTEURS D'EAU

0,20 m    1,00 m    5,00 m

JOUR

NUIT

## DE DÉTRESSE

## METEO

SIGNAUX DE JOUR    SIGNAUX DE NUIT

GRAND FRAIS

N-W

S-W

N-E

S-E

SAUTE DE VENT

SAUTE DE VENT

OURAGAN

# SIGNAUX

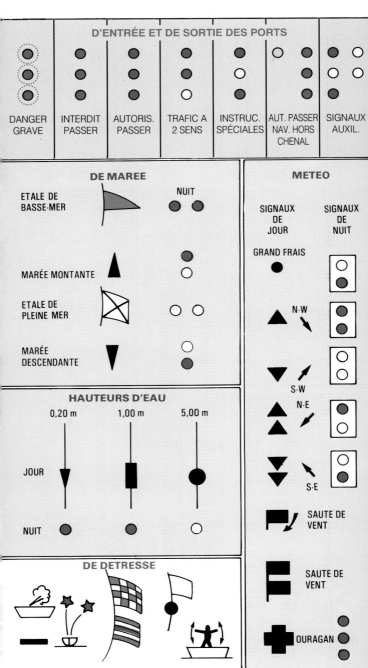

**D'ENTRÉE ET DE SORTIE DES PORTS**

| DANGER GRAVE | INTERDIT PASSER | AUTORIS. PASSER | TRAFIC A 2 SENS | INSTRUC. SPÉCIALES | AUT. PASSER NAV. HORS CHENAL | SIGNAUX AUXIL. |

**DE MARÉE**

ETALE DE BASSE-MER

NUIT

MARÉE MONTANTE

ETALE DE PLEINE MER

MARÉE DESCENDANTE

**HAUTEURS D'EAU**

0,20 m    1,00 m    5,00 m

JOUR

NUIT

**DE DÉTRESSE**

**MÉTÉO**

SIGNAUX DE JOUR    SIGNAUX DE NUIT

GRAND FRAIS

N-W

S-W

N-E

S-E

SAUTE DE VENT

SAUTE DE VENT

OURAGAN

# FEUX ET MARQUES

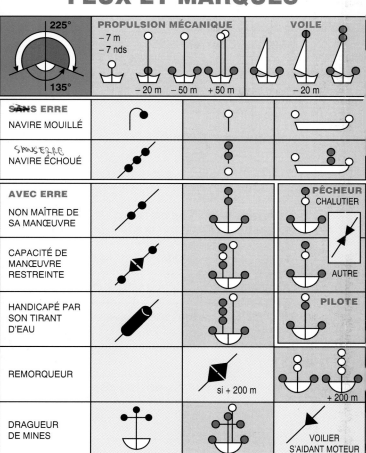

| | PROPULSION MÉCANIQUE | | | VOILE | | |
|---|---|---|---|---|---|---|
| **225° / 135°** | −7 m / −7 nds | −20 m | −50 m / +50 m | | | −20 m |
| **SANS ERRE** / NAVIRE MOUILLÉ | | | | | | |
| SANS ERRE / NAVIRE ÉCHOUÉ | | | | | | |
| **AVEC ERRE** / NON MAÎTRE DE SA MANŒUVRE | | | | PÊCHEUR / CHALUTIER / AUTRE | | |
| CAPACITÉ DE MANŒUVRE RESTREINTE | | | | | | |
| HANDICAPÉ PAR SON TIRANT D'EAU | | | | PILOTE | | |
| REMORQUEUR | | si + 200 m | | + 200 m | | |
| DRAGUEUR DE MINES | | | | VOILIER S'AIDANT MOTEUR | | |

# RÈGLES de BARRE et de ROUTE

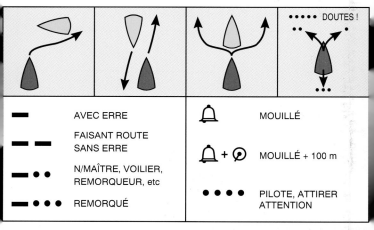

DOUTES !

| | | | |
|---|---|---|---|
| ▬ | AVEC ERRE | 🔔 | MOUILLÉ |
| ▬ ▬ | FAISANT ROUTE SANS ERRE | 🔔 + ⊘ | MOUILLÉ + 100 m |
| ▬ •• | N/MAÎTRE, VOILIER, REMORQUEUR, etc | | |
| ▬ ••• | REMORQUÉ | •••• | PILOTE, ATTIRER ATTENTION |

# SECURITE

### RAPPEL DES REGLES DE DISTANCE
— JAMAIS A MOINS DE          M DES PLONGEURS
— JAMAIS A MOINS DE          M DU RIVAGE
— ENTREE DE PORT : MOINS DE          NOEUDS

**PERMIS MER "A" :**          MILLES DES CÔTES

**EMPORTEZ AVEC VOUS :** (pièces administratives)

—

—

—

## INDICATIONS PORTEES SUR PLAQUE DU CONSTRUCTEUR :

## MARQUES EXTERIEURES :

### PLONGÉE SOUS-MARINE

# BALISAGE REGION A

## MARQUES LATERALES

CHENAL PREFERE

### DANGER ISOLE

### EAUX SAINES

Lettre Morse "A"

### SPECIALES

### DANGER NOUVEAU

### MARQUES CARDINALES

Sc. continu rap. ou
Sc. continu

**9** Sc. rap. (10 s.) ou
Sc. (15 s.)

N
W E
S

**3** Sc. r. (5 s.) ou
Sc. (10 s.)

**6** Sc. rap. + 1 é. long (10 s.) ou
Sc. + 1 é. long (15 s.)

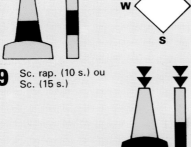

# ANNEXES

129

# Annexe « A »

## MENTIONS
## « SURMOTORISATION « ET « AÉROGLISSEUR « ▬▬▬▬▬▬▬▬▬

Pour pouvoir conduire un navire surmotorisé ou un aéroglisseur, il est nécessaire de passer une épreuve pratique spéciale qui permet d'obtenir, en cas de réussite, une mention sur le permis mer : « Surmotorisation » ou « Aéroglisseur », selon le cas.

Un dossier d'inscription est nécessaire pour obtenir soit la mention Surmotorisation, soit la mention Aéroglisseur. Il doit comprendre :
– une demande d'inscription,
– une photographie d'identité,
– un timbre fiscal correspondant au droit d'inscription (se renseigner du montant du moment),
– l'original de la carte mer (ou du permis mer).

### Surmotorisation
Un navire de plaisance est considéré comme surmotorisé lorsque son coefficient de motorisation est supérieur à 45.
Le coefficient de motorisation est calculé à l'aide de la formule suivante :

$$\frac{P}{0,5\,(J + L)}$$

dans laquelle :
P est la puissance en kilowatts,
J est la jauge brute, exprimée en tonneaux,
L est la longueur de la coque, en mètres.

Le programme de l'épreuve pratique n'était pas encore connu au moment de l'impression de cette édition. Mais d'ores et déjà, on peut prévoir le schéma suivant :
1. Capacité du pilote à évoluer avec un bateau rapide.
2. Démarrer en se servant du trim et des flaps.
3. Établissement de l'assiette du bateau à vitesse constante.
4. Évoluer à grande vitesse.
5. Ralentir pour passer à vitesse réduite.
A cette épreuve pratique, le candidat sera soit reçu, soit ajourné.

### Aéroglisseur
L'épreuve pratique pour la mention « Aéroglisseur » comportera probablement une vingtaine d'exercices à exécuter sur un parcours en L comportant obligatoirement une partie terre et une partie eau. Elle durerait une demi-heure et pourrait être réalisée en mer ou sur les eaux intérieures.

Le schéma de l'épreuve pourrait être le suivant :

1. Faire un nœud marin, visite prévol de l'aéroglisseur. - 2. Mettre le moteur en marche et appareiller en direction de l'eau. - 3. Effectuer la transition terre-eau entre deux balises distinctes entre elles de la longueur de l'appareil. - 4. Accélération et virage sur l'eau. - 5. Maintenir une vitesse de 12 nœuds jusqu'à 200 mètres. - 6. Virer la bouée et faire 270° autour de la suivante dans l'autre sens. - 7. Revenir à vitesse maximum. - 8. Arrêter son appareil en urgence pour le stabiliser. - 9. Mouiller. - 10. Tenir à l'ancre. - 11. Rappareiller et faire un 360° autour des bouées. - 12. Prise de bouée. - 13. Rappareiller en déjaugeant. - 14. Rejoindre la plage à 5 nœuds. - 15. Suivre un couloir matérialisé de 10 m. de longueur et de largeur égale à la longueur de l'appareil. - 16. Virer à 90° et évoluer en ligne droite sur un dévers. - 17. Virer à 180° et revenir au point de départ. - 18. Test réflexe avec un ballon qui roule au devant de l'aéroglisseur. - 19. Continuer jusqu'à la zone d'arrivée et poser l'appareil avec vitesse de translation quasi nulle. - 20. Arrêt du moteur, vérifications de sécurité. - 21/23. Simuler l'emploi de la fusée ou du feu à main, de la pagaie ou de l'aviron, de l'extincteur. - 24. Simuler une intervention sur le moteur. - 25. Descendre et simuler le changement d'un élément de jupe.

A cette épreuve pratique, le candidat est soit reçu, soit ajourné.

Ces deux épreuves devraient se dérouler selon des normes fixées par la Fédération Française Motonautique. Il est probable, compte tenu du nombre très réduit prévisible de candidats, qu'elles se dérouleront au « coup par coup ».

Les règles de déroulement de ces épreuves ne devant être édictées qu'après la parution de cette édition du code, les personnes intéressées pourront les obtenir en s'adressant aux Éditions du Plaisancier, dès qu'elles seront connues.

# CODE INTERNATIONAL DES SIGNAUX ▬▬▬▬▬▬▬▬

## (extraits)

La connaissance du code international de signaux n'est pas exigible à l'examen du permis mais certains signaux d'une seule lettre (par exemple : A, B, N et C, etc.) doivent être connus, on l'a vu, du candidat. La connaissance des signaux d'une seule lettre peut donc ne pas être inutile.

**Signaux d'une lettre**

**A (Alpha)** – J'ai un scaphandrier en plongée ; tenez-vous à distance et avancez lentement.

**B (Bravo)** – Je charge ou décharge, ou je transporte des marchandises dangereuses.

**C (Charlie)** – Oui.

**D (Delta)** – Ne me gênez pas, je manœuvre avec difficulté.

**E (Echo)** – Je viens sur tribord.

**F (Foxtrot)** – Je suis désemparé ; communiquez avec moi.

**G (Golf)** – 1. J'ai besoin d'un pilote – 2. (fait par un bateau de pêche) : je relève mes filets.

**H (Hotel)** – J'ai un pilote à bord.

**I (India)** – Je viens sur bâbord.

**J (Juliett)** – J'ai un incendie à bord et je transporte des marchandises dangereuses. Tenez-vous à distance.

**K (Kilo)** – Je désire entrer en communication avec vous ou vous invite à transmettre.

**L (Lima)** – Stoppez votre navire immédiatement.

**M (Mike)** – Mon navire est stoppé et n'a plus d'erre.

**N (November)** – Non.

**O (Oscar)** – Un homme à la mer.

**P (Papa)** – 1. (Au port) : Toutes les personnes doivent se présenter à bord, le navire doit prendre la mer.

2. (A la mer, fait par un bateau de pêche) : Mes filets sont accrochés à un obstacle.

**Q (Quebec)** – Mon navire est « indemne » et je demande la libre pratique.

**S (Sierra)** – Mes machines sont en arrière.

**T (Tango)** – (Fait par un bateau de pêche) : Ne me gênez pas : je fais du chalutage jumelé.

**U (Uniform)** – Vous courez vers un danger.

**V (Victor)** – Je demande assistance.

**W (Whiskey)** – J'ai besoin d'assistance médicale.

**X (X-Ray)** – Arrêtez vos manœuvres et veillez mes signaux.

**Y (Yankee)** – Mon ancre chasse.

**Z (Zulu)** – 1. J'ai besoin d'un remorqueur. 2. (Fait par un bateau de pêche) : Je mets à l'eau mes filets.

(La lettre **R**, signal de procédure, ne figure pas dans ce tableau.)

# CODE INTERNATIONAL DE SIGNAUX

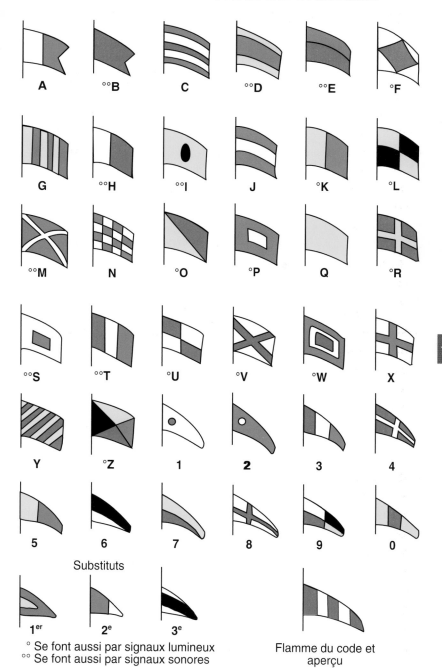

A    °°B    C    °°D    °°E    °F

G    °°H    °°I    J    °K    °L

°°M    N    °O    °P    Q    °R

°°S    °°T    °U    °V    °W    X

Y    °Z    1    2    3    4

5    6    7    8    9    0

## Substituts

1er    2e    3e

° Se font aussi par signaux lumineux
°° Se font aussi par signaux sonores

Flamme du code et
aperçu

# Annexe « C »

## OBTENTION DU PERMIS PAR ÉQUIVALENCE

(sous réserve d'un arrêté modificatif devant paraître)

**Arrêté du 22 septembre 1993 relatif à l'obtention par équivalence des titres de conduite en mer des navires de plaisance à moteur.**

Le ministre de l'équipement, des transports et du tourisme,

Vu le décret n° 92-1166 du 21 octobre 1992 relatif à la conduite en mer des navires de plaisance à moteur, et notamment son article 7 ;

Vu l'arrêté du 23 décembre 1992 relatif aux examens pour l'obtention de la carte mer et du permis mer,

Arrête :

Art. 1er. – En application de l'article 7 du décret du 21 octobre 1992 susvisé, les personnels appartenant aux catégories suivantes ou les titulaires de brevets, diplômes ou certificats énumérés ci-après peuvent obtenir par équivalence la carte mer ou le permis mer.

### I. Marine marchande
#### a) Permis mer

Brevet de capitaine au long cours.
Brevet de capitaine de la marine marchande.
Brevet de capitaine côtier.
Certificat de capacité (ancien ou nouveau régime).
Brevet de lieutenant long cours.
Brevet de lieutenant de grande navigation.
Brevet de lieutenant de la marine marchande.
Brevet de lieutenant au cabotage.
Brevet de chef de quart.
Diplôme d'élève officier au long cours.
Diplôme d'élève chef de quart (ancien régime).
Brevet de capitaine de 1re classe de la navigation maritime.
Brevet de capitaine de 2e classe de la navigation maritime.
Diplôme d'études supérieures de la marine marchande.
Diplôme de capitaine de 2e classe de la navigation maritime.
Brevet d'officier de la marine marchande.
Brevet d'officier chef de quart.
Diplôme d'élève officier de la marine marchande.
Diplôme d'élève chef de quart (nouveau régime).
Attestation d'admissibilité en 3e année

du cycle de formation des capitaines de 1re classe de la navigation maritime.
Brevet de capitaine de pêche.
Brevet de patron de pêche.
Brevet de lieutenant de pêche.
Brevet de patron au bornage.
Brevet d'officier radioélectricien ou radioélectronicien de 1re classe Marine marchande.
Brevet d'officier radioélectricien ou radioélectronicien de 2e classe.
Certificat d'apprentissage maritime, mention Commerce.
Certificat d'apprentissage maritime, mention Pêche.
Certificat d'aptitude professionnelle maritime d'électricien ou de mécanicien de bord.
Certificat d'aptitude professionnelle maritime de marin du commerce.
Certificat d'aptitude professionnelle maritime de marin-pêcheur.
Certificat d'aptitude professionnelle maritime de marin-pêcheur, option Pont.
Brevet d'études professionnelles maritimes de conduite et exploitation de navires de pêche.
Brevet d'études professionnelles maritimes Machines marines.
Certificat d'admissibilité en 2e année du cycle de formation des capitaines de 2e classe de la navigation maritime.
Diplôme d'élève officier de 2e classe de la navigation maritime.
Brevet d'officier de 2e classe de la navigation maritime.
Attestation d'admissibilité en 2e année du cycle de formation des capitaines de 1re classe de la navigation maritime.
Diplôme de capitaine de 2e classe de la navigation maritime théorie.
Attestation de succès à l'examen pour l'obtention du brevet de chef de quart.
Brevet de patron plaisance à la voile.

#### b) Carte mer

Certificat de fin d'études d'apprentissage maritime commerce ou pêche.
Certificat de fin d'études maritimes de marin-pêcheur.
Certificat d'initiation nautique.
Certificat d'aptitude à la conduite des moteurs de navires conchylicoles.
Marins titulaires d'un permis de conduire les moteurs délivré depuis le 1er

avril 1983 en application de l'arrêté n°3676 GM/2 du 21 décembre 1982.

## II. – Personnels civils de l'État

### A. – Personnels relevant du ministère de l'équipement, des transports et du tourisme

#### Permis mer

Corps d'encadrement et de commandement des personnels embarqués d'assistance et de surveillance des affaires maritimes (PEASAM B).

Corps d'exécution et de maîtrise des personnels embarqués d'assistance et de surveillance des affaires maritimes (PEASAM C).

Personnels des corps suivants titulaires d'une attestation de succès à l'examen de formation nautique organisé par le centre d'instruction et de documentation administrative maritime :

Inspecteurs des affaires maritimes.
Contrôleurs des affaires maritimes (branche Technique).
Techniciens du contrôle des établissements de pêche.
Syndics des gens de mer.

### B. – Personnels relevant du ministère du budget direction générale des douanes.

#### Permis mer

Brevet de chef de quart ou de navigateur.
Certificat de conducteur de vedette.

### III. – Marine nationale
#### a) Permis mer

Officiers de marine d'active.
Officiers de marine de réserve, provenant :
– de l'École navale ;
– de l'École militaire de la flotte ;
– de l'École polytechnique ;
– de l'École des élèves officiers de réserve (branche Chef de quart).
Officiers spécialisés de la marine active et de réserve recrutés sur concours.
Officiers spécialisés de la marine d'active et de réserve recrutés au choix, des spécialités Conduite nautique, Météorologiste-océanographe ou Amphibie.
Officiers d'active et de réserve des corps suivants :
– ingénieurs hydrographes ;
– administrateurs des affaires maritimes ;
– professeurs de l'enseignement maritime ;
– officiers du corps technique et administratif des affaires maritimes ;
– officiers d'administration des affaires maritimes issus du centre de formation des officiers d'administration des affaires

maritimes depuis le 1er janvier 1972 ;
– officiers des équipages de la flotte et officiers techniciens de la marine, d'active et de réserve, certifiés chef de quart ou des spécialités de manœuvrier, timonier, pilote de la flotte, hydrographe et météorologiste.

Aspirant de marine d'active ou de réserve (branche Chef de quart).

Officiers mariniers et quartiers-maîtres d'active et de réserve, titulaires du brevet supérieur de météorologiste ou du brevet d'aptitude technique de manœuvrier, timonier ou manœuvrier de direction de port.

Officier mariniers et quartiers-maîtres, d'active ou de réserve, des spécialités de navigateurs et hydrographes.

Officiers mariniers et quartiers-maîtres admissibles au grade de second maître du corps de réserve, des spécialités de chef de quart, pilote de la flotte, hydrographe, manœuvrier, timonier ou manœuvrier de direction de port.

#### b) Carte mer

Élèves de l'École navale.
Quartiers-maîtres et matelots titulaires du brevet élémentaire de manœuvrier, ou manœuvrier de direction de port.
Le personnel ayant appartenu aux corps et spécialités mentionnés ci-dessus et ayant changé de corps bénéficie des mêmes facilités.

Art. 2. – Le dossier d'inscription pour l'obtention par équivalence, au titre de l'article 7, de la carte mer ou du permis mer comprend :
a) Une demande d'inscription selon un modèle défini séparément ;
b) Une photographie d'identité ;
c) Un timbre fiscal correspondant au droit de délivrance ;
d) Une fiche d'état civil ou une photocopie d'une pièce d'identité ;
e) Une copie du diplôme professionnel ou toute pièce officielle justifiant la demande d'une équivalence dans le cadre de l'article 7 du décret n°92-1166 du 21 octobre 1992.

Art. 3 – Le directeur des ports et de la navigation maritimes est chargé de l'exécution du présent arrêté, qui sera publié au *Journal officiel* de la République française.

Fait à Paris, le 22 septembre 1993.

Pour le ministre et par délégation :
Par empêchement du directeur des ports et de la navigation maritimes :
*L'ingénieur en chef de l'armement,*
G. CADET

# Annexe « D »

## LES MATÉRIELS DE SÉCURITÉ ▐████████████████████

### RÉCAPITULATION DES MATÉRIELS DE SÉCURITÉ.
### COMMENT UTILISER LE TABLEAU « A » CI-CONTRE.

Le tableau A de la page ci-contre récapitule tous les matériels de sécurité exigibles à bord des navires de plaisance de moins de 25 mètres, pour les 6 catégories. Il est complété par les indications de la page 138.

Ce tableau est donné à titre indicatif.

Les renvois ci-dessous se rapportent au tableau de la page ci-contre.

(1) - Plus une 2ᵉ bouée pour les navires de plus de 15 mètres.

(2) - Bouée dotée d'une source lumineuse.

(3) - Accompagné des tables nécessaires pour une navigation astronomique.

(4) - Peut être remplacée par une montre-bracelet de précision.

(5) - Dimensions minimales 60 x 50 cm.

(6) - Dimensions minimales 40 x 30 cm.

(7) - Prescrit par le Règlement pour prévenir les abordages en mer. En sont dispensés les navires de moins de 7 mètres sauf s'ils sont mouillés dans un chenal étroit, une voie d'accès, etc... (voir page 75).

(8) - Pour navires à voile équipés d'un moteur auxiliaire (prescrit par le Règlement pour prévenir les abordages en mer).

(9) - Pour navires de plus de 12 mètres.

(10) - Doit comporter la bande latérale unique.

(11) - a) Navires de moins de 8 mètres et **navires à moteur** : un aviron d'une longueur suffisante et un dispositif de nage, ou deux pagaies.
b) Navires de 5 mètres et moins : 2 avirons ou une godille avec dispositif de nage ou une pagaie.

(12) - S'il n'existe qu'une seule ligne de mouillage.

(13) - Sauf pour les navires à moteur hors-bord ou à transmission relevable.

(14) - Lorsque la puissance réelle maximum du moteur dépasse 4,5 kW (6 CV).

(15) - Pour navires dont la coque n'est pas métallique.

(16) - Complétée en fonction de la durée du voyage, des parages fréquentés et du nombre de personnes embarquées.

(17) - Non exigé pour navires naviguant en Méditerranée.

(18) - Ces documents peuvent être remplacés par d'autres ouvrages comportant les renseignements et informations officiels y figurant dans leur intégralité et constamment remis à jour. L'ouvrage 2A peut ainsi être remplacé par le présent volume du code.

(19) - Pour les navires munis d'un appareil émetteur-récepteur de radiotéléphonie.

(20) - En 4ᵉ catégorie, les deux compas (route et relèvement) peuvent être remplacés par un compas de route pouvant être utilisé pour les relèvements.

# LES MATÉRIELS DE SÉCURITÉ OBLIGATOIRES

(1), (2), (3), etc. : voir page précédente

| A | Catégorie de navigation | | | | | | |
|---|---|---|---|---|---|---|---|
| | 1ère | 2e | 3e | 4e | 5e >5 m | 5e ≤5 m | 6e |
| **ENGINS DE SAUVETAGE** | | | | | | | |
| Brassières de sauvetage | ◄— —1 brassière approuvée par — — — —► 1 brassière approuvée | | | | | | |
| | personne à bord et 1 brassière | | | | par personne à bord | | |
| | supplémentaire par 10 % du nombre | | | | | | |
| | de personnes à bord au-delà | | | | | | |
| | de 10 personnes | | | | | | |
| Bouée de sauvetage approuvée (1) | 1(2) | 1(2) | 1(2) | 1(2) | 1 | | |
| Radeaux de sauvetage, engins flottants | ◄— — voir tableau B page 139 — — —► | | | | | | |
| **MATÉRIEL D'ASSÈCHEMENT ET D'INCENDIE** | | | | | | | |
| Pompe à bras fixe | 1 | 1 | 1 | | | | |
| Pompe fixe mécanique ou électrique | 1 | 1 | 1 | | | | |
| Pompe à bras (navires > 8 mètres) | | | | 1 | | | |
| Seaux rigides | 2 | 2 | 2 | 2 | 1 | | |
| Extincteurs approuvés | ◄— — — — — voir détail page 140 — — — — —► | | | | | | |
| **SIGNAUX PYROTECHNIQUES DE DÉTRESSE** | | | | | | | |
| Fusées à parachute | 4 | 4 | 4 | 3 | | | |
| Signaux fumigènes flottants | 2 | 2 | 2 | | | | |
| Feux rouges automatiques à main | 6 | 6 | 6 | 3 | 3 | 3 | |
| **APPAREILS, INSTRUMENTS, MATÉRIEL DE NAVIGATION ET D'ARMEMENT** | | | | | | | |
| Sextant | 1(3) | | | | | | |
| Compas de route | 1 | 1 | 1 | 1(20) | 1 | 1 | |
| Compas de relèvement | 1 | 1 | 1 | 1(20) | | | |
| Montre d'habitacle | 1 | 1(4) | 1(4) | 1(4) | | | |
| Baromètre | 1 | 1 | 1 | 1 | | | |
| Jumelles marines ou monoculaires | 1 | 1 | 1 | 1 | | | |
| Sonde à main | 1 | 1 | 1 | 1 | | | |
| Loch totalisateur | 1 | 1 | 1 | | | | |
| Miroir de signalisation | 1 | 1 | 1 | 1 | 1 | | |
| Pavillon national | 1(5) | 1(5) | 1(6) | 1(6) | 1(6) | | |
| Pavillon N et C | 1(5) | 1(5) | 1(6) | 1(6) | 1(6) | | |
| Rapporteur (ou instrument équivalent) | 1 | 1 | 1 | 1 | | | |
| Lampe étanche | 2 | 2 | 2 | 1 | 1 | 1 | |
| Boule de mouillage (7) | 1 | 1 | 1 | 1 | 1 | | |
| Marque de forme conique (8) | 1 | 1 | 1 | 1 | 1 | | |
| Corne de brume | 1 | 1 | 1 | 1 | 1 | 1 | |
| Cloche (9) | 1 | 1 | 1 | 1 | 1 | | |
| Récepteur radioélectrique | 1(10) | 1(10) | 1 | 1 | | | |
| Lignes de mouillage | ◄— — voir détail page 141 — — —► | | | | | | |
| Ancre ou grappin, avec chaîne ou cablot | | | | | | 1 | 1 |
| Gaffe | 1 | 1 | 1 | 1 | 1 | | |
| Avirons, pagaies (11) | X | X | X | X | X | X | X |
| Écope, sauf si cockpit autovideur | | | | | | 1 | 1 |
| Taquet ou bitte d'amarrage et chaumard à l'AV | 1 | 1 | 1 | 1 | 1 | 1 | 1 |
| Filin pour remorquage (12) | 1 | 1 | 1 | 1 | 1 | | |
| Jeu de pinoches coniques en bois | 1 | 1 | 1 | 1 | 1 | | |
| Barre franche de secours (13) | 1 | 1 | 1 | 1 | 1 | | |
| Gonfleur (pour toute embarcation pneumatique) | | | | | | | |
| Dispositif de sécurité coupant l'allumage ou les gaz en cas d'éjection ou de malaise du pilote (14) | | | | | | 1 | 1 |
| Dispositif réflecteur d'ondes radar (15) | 1 | 1 | 1 | 1 | | | |
| Réserve d'eau potable suffisante | X | X | X | | | | |
| Boîte de secours (composition page 138) | n° 3(16) | n° 3 | n° 3 | n° 2 | n° 1 | | |
| **DOCUMENTS** | | | | | | | |
| Journal de bord | 1 | 1 | 1 | | | | |
| Annuaire des marées ou ouvrage équivalent (17) | 1 | 1 | 1 | 1 | | | |
| Guide du Navigateur du S.H.O.M. | 1 | 1 | | | | | |
| Ouvrages 2A, 2B, 3C et 1D du S.H.O.M. (18) | | | 1 | 1 | 1 | | |
| Code international des signaux, édition française (19) | 1 | 1 | 1 | 1 | | | |
| Décrets et règlements relatifs à la sécurité des navires de plaisance de moins de 25 mètres (18) | 1 | 1 | 1 | 1 | | | |

Ouvrages, documents et instructions nautiques, comprenant notamment un livre des feux et les cartes nécessaires au voyage entrepris ou à la région fréquentée pour les navires effectuant une navigation en 1ère, 2e, 3e ou 4e catégorie, la ou les cartes de la région fréquentée pour les navires effectuant une navigation en 5e catégorie (18).

Les véhicules nautiques à moteur (scooters, etc) doivent posséder un anneau et un cordage permettant le remorquage, 2 feux automatiques à main produisant une lumière rouge et contenus dans un compartiment étanche et le dispositif de sécurité en cas d'éjection du pilote. Leurs utilisateurs doivent porter en permanence un gilet ou une brassière de sauvetage de couleur vive.

De plus, selon le type du navire :
• **Voiliers et croiseurs mixtes :**
.1. Toutes catégories :
— un jeu de voiles permettant au navire de faire route ;
— un jeu de manœuvres courantes complet ;
— un tourmentin ;
— un dispositif de réduction de la voilure ;
— un harnais de sécurité par personne embarquée, sauf en 5$^e$ catégorie.
.2. Voiliers de 1$^{ère}$, 2$^e$ ou 3$^e$ catégorie :
— un jeu de filins assortis de rechange permettant le remplacement des manœuvres courantes ;
— des poulies et manilles de rechange pour les manœuvres usuelles ;
— une cisaille apte à couper les haubans ou outillage approprié permettant de libérer le gréement dormant.
• **Navires à propulsion mécanique et croiseurs mixtes** effectuant une navigation de 1$^{ère}$, 2$^e$, 3$^e$ ou 4$^e$ catégorie :
.1. Objets de rechange pour moteur à allumage par compression :
— un jeu d'outils de démontage ;
— un injecteur taré et un tuyau d'injecteur monté sur son porte-injecteur ;
— une cartouche de filtre à gazole ;
— quelques boulons appropriés au moteur ;
— quelques tuyaux ou raccords souples avec colliers de serrage ;
— fusibles pour l'installation électrique ;
— courroies de rechange.
.2. Objets de rechange pour moteur à essence :
— un jeu d'outils de démontage comprenant notamment une clé à bougie ;
— un jeu de bougies d'allumage de rechange ;
— une bobine d'allumage et son condensateur ;
— quelques tuyaux ou raccords souples avec colliers de serrage ;
— quelques boulons appropriés au moteur ;
— fusibles pour l'installation électrique ;
— courroies de rechange.

## Composition des boîtes de secours

| | N°1 | N°2 | N°3 |
|---|---|---|---|
| Boîtes de pansements tout préparés : | | | |
| – grand modèle | X | X | X |
| – petit modèle | X | X | X |
| Antiseptique local de type ammonium quaternaire (1 tube) | X | X | X |
| Crème antiactinique (1 tube) | X | X | X |
| Une bande Velpeau en 5 cm de large | X | X | 2 |
| Une bande Velpeau en 25 cm de large | | X | |
| Coton (1 paquet) | | X | X |
| Compresses en boîte (1 paquet) | | X | X |
| Alcool à 90° (125 cm$^3$) | | X | X |
| Sulfamide ou antibiotique de contact (1 flacon) | | X | X |
| Aspirine (20 comprimés) | | X | X |
| Comprimés antinaupathiques (20 comp.) | | X | X |
| Collyre antiactinique | | X | X |
| Un doigtier | | X | X |
| Antihémorragique de contact (1 flacon) | | | X |
| Pansement gras pour brûlure (1 boîte) | | | X |
| Comprimés antidiarrhéiques (20 comp.) | | | X |
| Antibiotique à large spectre, par voie buccale (32 comprimés dragéifiés) | | | X |
| Antispasmodique (comprimés ou ampoules avec nécessaire à injection) | | | X |
| Un bandage costal | | | X |
| Une attelle gonflage (facultative) | | | X |

# ENGINS DE SAUVETAGE

## 1. Brassières

Il doit y avoir à bord de tous les navires (1$^{re}$ à 6$^e$ catégorie) autant de brassières de sauvetage approuvées que de personnes à bord et, pour les navires de plus de 5 mètres, une ou plusieurs supplémentaires dans la proportion de 10 % du nombre de personnes à bord lorsque le nombre de celles-ci dépasse 10.

A partir du 1/7/95, seules les brassières portant le marquage "CE" devront être vendues, de type 50-100-150 ou 275 pour des navigations de 5$^e$ et 6$^e$ catégories et véhicules nautiques à moteur et de type 100-150 ou 275 pour des navigations de 1$^{re}$, 2$^e$, 3$^e$ ou 4$^e$ catégories (sauf modèles à gonflage oral seul).

Les brassières acquises avant le 1/7/95 restent utilisables.

Sur les navires de 5 mètres et moins de 5 mètres, les plongeurs revêtus de leur tenue isothermique sont dispensés de la présence de brassières en nombre correspondant.

## 2. Bouées de sauvetage

Comme on l'a vu sur le tableau A, une bouée d'un type approuvé est obligatoire à bord de chaque navire de plus de 5 mètres, cette bouée étant dotée d'une source lumineuse pour les 1$^{re}$, 2$^e$, 3$^e$ et 4$^e$ catégories. Pour les navires de 15 mètres et plus, une seconde bouée semblable.

## 3. Engins de sauvetage collectifs

Il s'agit des radeaux pneumatiques de sauvetage et des engins flottants (cette dernière expression désignant un matériel flottant autre que radeaux pneumatiques, bouées et brassières, et destiné à supporter un nombre maximum de personnes qui se trouvent dans l'eau).

La capacité totale du ou des engins embarqués doit permettre de recevoir toutes les personnes présentes à bord.

| B — LONGUEUR du navire | CATÉGORIES DE NAVIGATION | | | | | |
|---|---|---|---|---|---|---|
| | 1$^{re}$ | 2$^e$ | 3$^e$ | 4$^e$ | 5$^e$ | 6$^e$ |
| Égale ou supérieure à 8 mètres ............... | Classe II 1975 Plaisance | Classe II 1975 Plaisance | Classe II allégée 1975 Plaisance ou classe IV 1975. | Classe V 1975 Plaisance | Engins flottants d'un type approuvé | Néant. |
| Inférieure à 8 mètres | Idem. | Idem. | Idem. ou classe V 1975. | Idem. | Idem. | Idem. |

— Lorsque les engins flottants sont exigés, la ou les bouées de sauvetage prescrites peuvent tenir lieu d'engin flottant pour une personne.

— En 5$^e$ catégorie, un radeau pneumatique de sauvetage peut être considéré comme un engin flottant pour un nombre de personnes double de celui pour lequel le radeau a été approuvé.

— Les navires de 3$^e$ et 4$^e$ catégories sont dispensés d'engins de sauvetage collectifs s'ils sont reconnus insubmersibles après approbation spéciale de la Commission Nationale de Sécurité.

— Les navires de 5$^e$ catégorie qui possèdent la flottabilité exigée des navires d'une longueur égale ou inférieure à 5 mètres sont dispensés d'engins flottants.

— Le nom du navire et les lettres d'identification du quartier d'Affaires Maritimes doivent être inscrits sur les bouées et les engins flottants.

## MATÉRIEL D'INCENDIE

Les extincteurs sont requis, soit à cause des moteurs et de leurs réservoirs, soit à cause de l'habitabilité créant des risques supplémentaires, par exemple : gaz, literie, etc. Toutefois, réglementairement, seuls les moteurs **intérieurs** requièrent la présence d'extincteurs. Les moteurs hors-bord en sont donc dispensés, quelles que soient la longueur du navire, la puissance du moteur et la quantité d'essence embarquée.

Le tableau ci-après définit l'efficacité des extincteurs exigés en fonction de la puissance motrice maximale.

150 kW équivalent à environ 200 CV réels, 300 kW à 400 CV et 450 kW à 600 CV.

| EFFICACITÉ DE L'EXTINCTEUR | PUISSANCE RÉELLE MAXI COUVERTE | MENTION À PORTEUR SUR L'EXTINCTEUR |
|---|---|---|
| Foyer type 21 B ............... | P ≤ 150 kW | Plaisance 150 kW maxi. |
| Foyer type 34 B ............... | 150 kW < P ≤ 300 kW. | Plaisance 300 kW maxi. |
| Foyer type 55 B ............... | 300 < P ≤ 450 kW. | Plaisance 450 kW maxi. |

Tout navire habitable (voilier ou moteur) doit posséder au moins un extincteur approuvé, type 21 B.

**Tout navire à moteur intérieur** doit posséder un ou plusieurs extincteurs affectés au ou aux moteur(s) et aux installations à combustible liquide. Le nombre et l'efficacité de ces extincteurs sont déterminés d'après le tableau suivant :

| PUISSANCE RÉELLE MAXI installée. | NOMBRE ET CLASSE DES EXTINCTEURS EXIGÉS |
|---|---|
| P ≤ 150 kW.<br>150 kW. < P ≤ 300 kW.<br><br>P > 300 kW. | 1 extincteur 21 B par moteur.<br>2 extincteurs 21 B si deux moteurs.<br>1 extincteur 34 B si un moteur.<br>1 extincteur 55 B et autant d'extincteurs complémentaires qu'il est nécessaire pour couvrir la puissance si un moteur.<br>Si deux moteurs : pour chaque moteur, un extincteur 34 B ou 55 B et autant d'extincteurs qu'il est nécessaire pour couvrir sa puissance. |

**Moteurs fixes à essence** d'une puissance égale ou supérieure à 110 kW (environ 150 CV) : obligation d'une installation fixe d'extinction par gaz inerte dans le compartiment moteur. Toutefois, cette installation ne dispense pas d'un extincteur portatif pouvant couvrir le quart de la puissance ni des extincteurs prévus dans le tableau ci-dessous dans le cas d'un navire habitable.

**Tout navire habitable de plus de 10 mètres** doit posséder un ou plusieurs extincteurs supplémentaires, suivant les modalités du tableau ci-après. Un des extincteurs doit être situé à l'entrée de la cuisine ou du local prévu pour cet usage.

| LONGUEUR DU NAVIRE | NOMBRE ET CLASSE D'EXTINCTEURS |
|---|---|
| 10 m < L ≤ 15 m.<br>15 m < L ≤ 20 m.<br>20 m < L ≤ 25 m. | 1 extincteur 21 B.<br>2 extincteurs 21 B.<br>3 extincteurs 21 B. |

A noter que désormais les compartiments moteurs doivent être pourvus d'un orifice permettant de projeter à l'intérieur le produit extincteur (sauf pour les navires équipés d'une installation fixe d'extinction par gaz inerte).

**1. Navires de moins de 9 mètres ou d'une masse inférieure à 3 000 kg :** une ligne de mouillage constituée :
— d'une ancre,
— d'une chaîne d'au moins 8 mètres,
— d'un câblot

répondant aux caractéristiques définies à l'annexe 224-0 A6 de l'arrêté du 23.11.87.

**2. Navires d'une longueur égale ou supérieure à 9 mètres ou d'une masse égale ou supérieure à 3 000 kg :** une ligne de mouillage constituée :
— d'une ancre,
— d'une chaîne d'une longueur égale à 2 fois celle du navire,
— d'un câblot,

répondant aux caractéristiques définies à l'annexe 224-0 A6 de l'arrêté du 23.11.87 et une seconde ligne de mouillage constituée :
— d'une ancre,
— d'une chaîne d'une longueur minimale de 8 mètres,
— d'un câblot.

**3.** La longueur totale de chacune des lignes de mouillage doit être d'au moins 5 fois la longueur totale du navire. Elle peut être entièrement constituée de chaîne. Une de ces lignes de mouillage doit être montée à poste et être étalinguée en permanence.

## QUELQUES PRÉCISIONS OU RAPPELS

**1° — Compas.** Votre navire doit être muni :

a) si vous effectuez une navigation de 1$^{ère}$, 2$^e$ ou 3$^e$ catégorie : de deux compas dont l'un doit pouvoir être utilisé pour les relèvements (la courbe des déviations de chaque compas doit être affichée) ;

b) si vous effectuez une navigation de 4$^e$ catégorie : les deux compas peuvent être remplacés par un compas de route pouvant être utilisé pour les relèvements ;

c) d'un compas de route si la navigation est limitée à la 5$^e$ catégorie.

Les compas des navires de 1$^{ère}$, 2$^e$ et 3$^e$ catégories doivent être conformes aux normes en vigueur.

Les compas des navires de 4$^e$ et 5$^e$ catégories, s'ils ne sont pas d'un type approuvé, doivent répondre aux spécifications minimales définies à l'article 224-2 39 § 5 de l'annexe à l'arrêté du 23.11.87.

**2° — Feux de route**

Si votre navire fait 7 mètres et plus, vos feux de route doivent être d'un type approuvé.

S'il fait moins de 7 mètres, il peut posséder des fanaux non approuvés mais leurs portées doivent être celles prévues pour les navires de moins de 12 mètres (voir page 59) et répondre à d'autres spécifications minimales.

**3° — Réflecteur radar —** Tout navire effectuant une navigation de 1$^{ère}$, 2$^e$, 3$^e$ ou 4$^e$ catégories, dont la coque n'est pas métallique, doit être muni d'un réflecteur radar satisfaisant aux normes fixées par un arrêté ministériel.

## AUTRES DISPOSITIONS

— La notion de **croiseur mixte** a été introduite par l'arrêté du 27.03.80 pour définir les navires utilisant indifféremment la voile ou le moteur comme mode principal de propulsion. Le fait de posséder un croiseur mixte plutôt qu'un voilier oblige, par exemple, à posséder les pièces de rechange prévues pour un navire à moteur (page 138).

— **Les embarcations rigides d'une longueur égale ou inférieure à 5 mètres** doivent être obligatoirement insubmersibles et les caissons à air sont formellement exclus comme réserve de flottabilité.

— **Les filières et garde-corps** doivent, pour les navires de la 1$^{re}$ à la 4$^e$ catégorie, avoir une hauteur minimum de :

— 60 cm pour les navires de 8 mètres et plus de 8 mètres ;

— 45 cm pour ceux de moins de 8 mètres.

— Les navires de 1$^{re}$ à 4$^e$ catégorie doivent être équipés de cale-pieds de 30 mm minimum.

— Les navires de moins de 8 mètres doivent avoir au minimum une main-courante le long de l'hiloire et sur le rouf.

---

## Annexe « E »

## TRANSPORT DU BATEAU SUR REMORQUE

– Votre permis B de voiture est suffisant tant que la remorque ne dépasse pas 750 kg ou que le P.T.A.C. de la remorque (poids total autorisé en charge) ne dépasse pas le poids à vide de la voiture, la somme des deux P.T.A.C. (voiture + remorque) ne dépassant pas 3 500 kg. Sinon, permis E.

A noter que certaines compagnies d'assurance exigent le permis E pour la traction de remorques de plus de 500 kg ! Renseignez-vous chez votre assureur. Et informez-le que vous tractez une remorque même si celle-ci fait l'objet d'une assurance particulière souscrite auprès d'une autre compagnie.

– Si le P.T.A.C. de la remorque ne dépasse pas 500 kg, pas de carte grise pour elle, plaque d'immatriculation avec le numéro de la voiture. Au-delà de 500 kg, carte grise, attestation d'assurance et plaque propres à la remorque.

– Le poids réel de la remorque (son poids + celui du chargement du moment) ne doit pas dépasser 1,3 fois le poids réel de la voiture.

– Équipement de la remorque : 2 feux rouges à l'arrière, 2 triangles catadioptres, éclairage de la plaque. Ne sont pas obligatoires les feux stop et les clignotants si le P.T.A.C. ne dépasse pas 500 kg et si ceux de la voiture sont visibles. Triangle de présignalisation si le P.T.A.C. dépasse 500 kg. Jusqu'à 750 kg, freins non obligatoires si le P.T.A.C. ne dépasse pas la moitié du poids à vide de la voiture.

– Sur la voiture, rétroviseur à droite si la remorque est plus large.

*Cette liste n'est pas exhaustive et d'autres dispositions visent notamment les remorques de plus de 1,60 mètre de large ou 6 mètres de long.*

# IMMATRICULATION ET FRANCISATION

*Tous les navires de plaisance (à l'exception des engins de plage) naviguant en eaux maritimes doivent être immatriculés par les soins des Affaires Maritimes.*

*Ceux de plus de 2 tonneaux (ou de plus de 800 kg moteur compris pour les navires à moteur) doivent, en plus, être francisés par les soins du Service des Douanes.*

**IMMATRICULATION.** — Tout bateau de plaisance doit être immatriculé, à l'exception, donc, des engins de plage.

Sont considérés comme **engins de plage** à condition que la puissance maximale de l'engin propulsif ne dépasse pas 3 kW (4 CV environ) :
— les embarcations rigides du type dériveur léger à voile, en solitaire, dont le produit des 3 dimensions - longueur, largeur et creux mesuré au maître-ban - est inférieur à 1,5 et dont la largeur est inférieure à 1,15 m ;
— les embarcations rigides, à voile ou à moteur, autres que les précédentes, dont le produit des 3 dimensions est inférieur à 2 et dont la largeur est inférieure à 1,20 m ;
— les embarcations pneumatiques à moteur dont la longueur est inférieure à 2,75 m, la longueur inférieure à 1,20 m et qui ont une réserve de flottabilité inférieure à 350 litres ;
— les embarcations pneumatiques à voile dont la longueur est inférieure à 3,70 m et qui ont moins de 7 m² de voilure.

Par contre, les véhicules nautiques à moteur (scooters de mer, motos de mer, etc.) doivent être immatriculés.

**FRANCISATION.** — La francisation (qui est en quelque sorte la naturalisation française du navire) n'est obligatoire que pour les navires de plaisance de plus de 2 tonneaux.

Ceux de 2 tonneaux et moins ne sont soumis à la francisation que s'ils se rendent dans les eaux territoriales étrangères.

# Navires d'une jauge brute égale ou inférieure à 2 tonneaux

S'ils ne se rendent pas dans les eaux territoriales étrangères, ces navires sont dispensés de la formalité de francisation, mais ils doivent être immatriculés auprès d'un quartier des Affaires Maritimes qui leur délivre un titre de navigation d'un modèle simplifié, non soumis à visa annuel («carte de circulation» de couleur bleue). Toutes ces formalités sont accomplies par correspondance.

**Navire neuf :**

Adresser au Centre Administratif des Affaires Maritimes, Section Navires de Plaisance, Saint-Servan, 35403 Saint-Malo, un dossier constitué des pièces suivantes :

— demande d'immatriculation sur papier libre (préciser le nom du navire) ;

— une facture du vendeur ou du constructeur ;

— une « attestation de construction et de jauge d'un navire de plaisance de série » (délivrée par le constructeur ou l'importateur). L'attestation portée sur la facture d'achat n'est plus valable ;

— une pièce d'identité justifiant la qualité et la nationalité française du demandeur (photocopie) et une justification de domicile ;

— deux fiches statistiques fournies (normalement) par le vendeur. Sinon, les demander au secrétariat d'État à la mer, Bureau de la Plaisance, 3 place Fontenoy, 75700 Paris ;

— un certificat de jauge type établi par le constructeur.

**Navire d'occasion :**

Adresser au quartier des Affaires Maritimes qui a immatriculé le navire (voir la carte de circulation remise par le vendeur) un dossier constitué des pièces suivantes :

— acte de vente en 3 exemplaires (un modèle d'acte de vente est donné ci-après, page 146) ;

— la carte de circulation remise par l'ancien propriétaire ; (1)

— une fiche statistique au nom du nouveau propriétaire (la demander aux Affaires Maritimes) ;

— photocopie d'une pièce d'identité ou fiche d'état civil, au nom du nouveau propriétaire.

La carte de circulation qui sera remise au plaisancier comporte un numéro d'immatriculation. C'est ce numéro qui, éventuellement, devra être porté sur la coque avec les initiales du quartier des Affaires Maritimes (voir page 92).

# Navires d'une jauge brute supérieure à 2 tonneaux

Ces navires doivent être :

— francisés auprès d'un Bureau des Douanes ;

— immatriculés auprès d'un quartier des Affaires Maritimes pour la délivrance du « titre de navigation ».

**1. FRANCISATION.** — Le navire devant être d'abord francisé, le dossier est adressé en premier à la Douane (bureau de Douane d'un port du littoral choisi par le propriétaire) et doit comprendre :

---

(1) Si le navire était auparavant francisé, l'ancien propriétaire aura remis le document commun « acte de francisation - titre de navigation » (livret de couleur orange).

**Navire neuf :**
— 2 demandes de francisation (délivrées par les Douanes) ;
— une demande d'immatriculation ;
— une justification de domicile ;
— une attestation de jauge type ou certificat de jauge ;
— un certificat de non-similitude de nom (pour bateaux de plus de 10 tx) ;
— 1 fiche « Plaisance » (délivrée par les Affaires Maritimes) ;
— une facture du vendeur ;
— une pièce d'identité (ou photocopie) justifiant la nationalité française ;
— une photographie d'identité de l'acheteur.

**Navire d'occasion :**
— acte de vente sur papier libre en quatre exemplaires ;
— une pièce d'identité de l'acheteur (ou photocopie) justifiant sa nationalité française ;
— titre de navigation remis par l'ancien propriétaire ;
— une fiche « Plaisance » (au nom du nouveau propriétaire) ;
— une photographie d'identité de l'acheteur.

Le bureau des Douanes adresse au propriétaire un document commun Douane-Affaires Maritimes (livret à couverture orange), dont il a rempli la première partie, « l'acte de francisation ». La deuxième partie constitue le « titre de navigation ».

**2. IMMATRICULATION.** — Le propriétaire doit alors envoyer ce livret orange au bureau des Affaires Maritimes (si possible du même port) qui annotera la deuxième partie « titre de navigation » et délivrera le numéro d'immatriculation qui devra être peint sur la coque (voir chapitre 5).

Le document commun Douanes - Affaires Maritimes est soumis à visa annuel.

## Mise à l'eau et visites de sécurité

Son navire étant immatriculé, éventuellement francisé, et muni de l'armement réglementaire (voir chapitre 5), le plaisancier peut le mettre à l'eau.

Depuis le 28 septembre 1987, les visites de sécurité ont été supprimées, les navires de plaisance étant contrôlés au stade des chantiers constructeurs.

Toutefois, les visites de mise en service et les visites annuelles restent obligatoires pour les navires de location et pour les navires à utilisation collective (1).

Pour être autorisé à prendre la mer, il suffit donc de satisfaire aux conditions suivantes :

1. avoir fait immatriculer le navire ;

2. l'avoir équipé du matériel de sécurité obligatoire (voir chapitre 5 de ce code). Ce matériel peut être vérifié à tout moment lors de contrôles inopinés.
Bien entendu pour les bateaux à moteur, le pilote devra être titulaire de la carte mer ou du permis mer, selon les caractéristiques du navire.

---

(1) Un navire à utilisation collective est un navire à voile de moins de 25 mètres pratiquant des activités telles que le charter ou l'école de croisière (avec le propriétaire ou son préposé à bord).

# ACTE DE VENTE D'UN NAVIRE DE PLAISANCE

Entre les soussignés :
Nom ...............................................................................................................................
Prénom ........................................................................................................................
Date et lieu de naissance ........................................................................................
Domicile adresse de la résidence principale .........................................................
Profession ...................................................................................................................
Nationalité.................................................................................Vendeur, d'une part
et
Nom ...............................................................................................................................
Prénom ........................................................................................................................
Date et lieu de naissance ........................................................................................
Domicile adresse de la résidence principale .........................................................
Profession ...............................................................................
Nationalité ..................................................................................Acheteur, d'autre part
Il a été convenu ce que suit :
Monsieur ......................................................agissant en qualité de propriétaire du navire
Nom, type, série numéro dans la série, matériau de construction, jauge brute,
Immatriculé au quartier des Affaires maritimes de .............................................
sous le numéro ...........................................................................................................
Francisé en Douanes à ...................................................le...................................
sous le numéro.............................................................................................................
Déclare vendre la totalité dudit navire à Monsieur ...................................................
............................................ qui accepte aux clauses et conditions suivantes : ...........................
État du navire : Monsieur ........................................déclare bien connaître le navire et l'avoir
visité pour l'accepter dans l'état ou il se trouve.
Accessoires : (liste des accessoires vendus avec le navire).
Dettes : Le vendeur déclare qu'il n'existe sur ledit navire aucune dette ni inscription hypothé-
caire et garantit l'acquéreur contre toute réclamation à ce sujet.
Livraison : (conditions).
Prix de vente : Complété du mode de paiement.
Formalités de transfert de propriété : après visa par le quartier d'immatriculation du navire
des exemplaires de l'acte de vente (3 ou 4 selon le tonnage), le vendeur d'un navire francisé
dispose d'un délai d'un mois pour informer le bureau local des douanes où le navire est francisé par l'envoi d'un exemplaire de l'acte de vente visé et du titre de francisation.
Il appartient ensuite à l'acheteur de procéder à l'immatriculation du navire auprès du quartier
des Affaires Maritimes choisi dans un délai d'un mois à compter du changement de francisation.
En foi de quoi les parties étant d'accord, le présent acte a été clos et signé après lecture par
chacune des parties.
Fait à ...................................................le ........................................Mil neuf cent .......

LE VENDEUR :                    L'ACHETEUR :

# DROIT DE FRANCISATION ET DE NAVIGATION

Un droit unique de francisation et de navigation est payable annuellement à la Douane et son montant est fonction du tonnage du navire et de la puissance administrative du moteur.

Comme on le verra dans les tableaux ci-dessous, les bateaux de moins de 3 tonneaux sont exonérés de droit sur la coque mais restent soumis au droit sur les moteurs.

En 1994, les droits étaient les suivants :

## I — DROITS SUR LA COQUE

### a) Navires de moins de 10 ans

| Tonnage en jauge brute | 0/ – 3 tx | 3/5 tx | 5/8 tx | +8 tx |
|---|---|---|---|---|
| Taxe de base | 0 | 222 | 222 | 222 |
| Taxe par tonneau ou fraction de tonneau au-dessus de 3 tonneaux | | 151 F | 106 F | 207 F |

### b) Navires de plus de 10 ans et bénéficiant d'un allègement

| Tonnage en jauge brute | 8/10 tx | 10/20 tx | + 20 tx |
|---|---|---|---|
| Taxe de base | 222 | 222 | 222 |
| Taxe par tonneau ou fraction de tonneau au-dessus de 3 tonneaux | 106 F | 98 F | 93 F |

## II — DROITS SUR LE MOTEUR

Ils sont calculés sur la puissance administrative qui équivaut à 1/7 de la puissance commerciale pour les hors-bord et de 1/5 à 1/8 de la puissance commerciale pour les in-board.

Droits :
| | | | | | |
|---|---|---|---|---|---|
| de | 0 | à | 5 CV | = | rien |
| de | 6 | à | 8 CV | = | 54 F par CV au dessus du 5e |
| de | 9 | à | 10 CV | = | 68 F par CV au dessus du 5e |
| de | 11 | à | 20 CV | = | 136 F par CV au-dessus du 5e |
| de | 21 | à | 25 CV | = | 151 F par CV au-dessus du 5e |
| de | 26 | à | 50 CV | = | 172 F par CV au-dessus du 5e |
| de | 51 | à | 99 CV | = | 190 F par CV au-dessus du 5e |
| 100 CV et + | | | | = | 297 F par CV sans abattement pour les 5 premiers ni pour la vétusté. |

Abattements pour vétusté : 25 % pour les bateaux de 10 à 20 ans inclus ; 50 % pour ceux de 20 à 25 ans inclus ; 75 % pour ceux de plus de 25 ans (ces abattements s'appliquent aux droits sur le moteur - sauf pour 100 CV et plus - comme à ceux sur la coque).

Sont exonérées du droit de francisation et de navigation, les embarcations appartenant à des écoles de sport nautique qui relèvent d'associations agréées par le Ministère de la Jeunesse et des Sports.

Le droit de francisation et de navigation est perçu par année civile (1er janvier - 31 décembre), avant le 1er avril de chaque année, sur réception d'un avis envoyé par le service des Douanes. Majoration de 10 % en cas de retard. Dans le cas d'achat d'un navire neuf, le droit se calcule au prorata du temps qui reste à courir jusqu'à la fin de l'année, tout mois incomplet étant compté comme mois entier. Dans le cas d'achat d'un navire d'occasion, c'est le propriétaire au 1er janvier qui est redevable du droit de l'année considérée.

Le talon de l'avis de recouvrement est à détacher et à coller sur l'acte de francisation, à titre de justification.

# Autres pièces administratives
# et renseignements divers

**CERTIFICAT RESTREINT DE RADIOTÉLÉPHONISTE** pour les utilisateurs de VHF (voir « Code Vagnon de la VHF » aux Éditions du Plaisancier).

**PERMIS DE NAVIGATION.** — Ce titre de sécurité est supprimé pour les navires de plaisance, sauf pour les navires à utilisation collective (NUC) et les navires loués.

**RÔLE D'ÉQUIPAGE.** — C'est le titre de navigation des bateaux sur lesquels est embarqué un marin salarié (inscrit maritime).

**TITRES DE NAVIGATION COLLECTIFS** pour les écoles de voile, les centres d'initiation au nautisme.

**ACTES DE FRANCISATION COLLECTIFS** pour les mêmes et les associations de tourisme nautique pour les bateaux qui leur appartiennent.

**PASSEPORT.** — C'est le document de caractère fiscal délivré aux étrangers ayant leur résidence principale en France.

**LOCATION DES BATEAUX DE PLAISANCE.** — Lorsqu'un plaisancier utilise un bateau de location, il doit pouvoir justifier, en plus du titre de navigation du propriétaire qui reste valable, du contrat de location (dont une copie aura été déposée aux Affaires Maritimes par les soins du loueur, s'il s'agit d'un bateau de 2 tonneaux ou plus).

S'il s'agit d'un prêt, le contrat ci-dessus est remplacé par une attestation écrite du propriétaire.

**HYPOTHÈQUE MARITIME.** — Une hypothèque peut être prise sur un navire de plaisance. Elle fait alors l'objet d'une inscription auprès des Douanes et il en est fait mention dans l'acte de francisation du navire.

**FORMALITÉS DOUANIERES.** — Pour obtenir tout renseignement sur les formalités douanières (francisation, départ pour l'étranger ou retour de l'étranger, navires achetés à l'étranger, propriétaires résidant à l'étranger, règles applicables aux DOM-TOM, etc, etc...) s'adresser au Centre de Renseignements des Douanes - 23 rue de l'Université - 75700 Paris 07 SP - Tel. (1) 40 24 65 10.

**LISTE DES BUREAUX DE DOUANE.** (Ports d'attache) — Dunkerque, Calais, Boulogne, Abbeville, Rouen, Dieppe, Le Havre, Le Tréport, Fécamp, Honfleur, Caen, Cherbourg, Granville, Saint-Malo, Saint-Brieuc, Paimpol, Morlaix, Brest, Quimper, Lorient, Vannes, Concarneau, Saint-Nazaire, Nantes, Les Sables d'Olonne, La Rochelle, Rochefort, Le Château-d'Oléron, Bordeaux, Pauillac, Le Verdon, Arcachon, Bayonne, Ciboure, Hendaye, Port-Vendres, Port-la-Nouvelle, Sète, Fos-Port-Saint-Louis, Port-de-Bouc, Marseille, Cassis, Bandol, Toulon-La-Seyne, Saint-Mandrier, Hyères, Le Lavandou, Saint-Tropez, Saint-Raphaël, Cannes, Antibes, Nice, Menton, Ajaccio, Bastia, Porto-Vecchio, Calvi, Ile Rousse, Bonifacio, Thionville, Strasbourg, Lauterbourg.

DOM-TOM : Basse-Terre, Pointe à Pitre, Fort de France, Degrad de Cannes, Saint-Laurent du Maroni, Kourou, Saint-Denis, Le Port (Réunion), Saint-Pierre (Réunion), Saint-Pierre et Miquelon, Nouméa, Papeete, Dzaoudzi.

# RÈGLEMENT INTERNATIONAL
# POUR PRÉVENIR LES ABORDAGES EN MER

(Convention de Londres de 1972 - Applicable à dater du 15 juillet 1977)
Mise à jour du 1ᵉʳ mai 1991

## PARTIE A — GÉNÉRALITÉS (Règles 1 à 3)

### Règle 1
*Champ d'application*

a) Les présentes Règles s'appliquent à tous les navires en haute mer et dans toutes les eaux attenantes accessibles aux navires de mer.

b) Aucune disposition des présentes Règles ne saurait entraver l'application de prescriptions spéciales édictées par l'autorité compétente au sujet de la navigation dans les rades, les ports, sur les fleuves, les lacs ou les voies de navigation intérieure attenantes à la haute mer et accessibles aux navires de mer. Toutefois, ces prescriptions spéciales doivent être conformes d'aussi près que possible aux présentes Règles.

c) Aucune disposition des présentes Règles ne saurait entraver l'application des prescriptions spéciales édictées par le gouvernement d'un État en vue d'augmenter le nombre des feux de position, signaux lumineux, marques ou signaux au sifflet à utiliser par les bâtiments de guerre et les navires en convoi, ou en vue d'augmenter le nombre des feux de position, signaux lumineux ou marques à utiliser par les navires en train de pêcher et constituant une flottille de pêche. Ces feux de position, signaux lumineux, marques ou signaux au sifflet supplémentaires doivent, dans toute la mesure du possible, être tels qu'il soit impossible de les confondre avec tous autres feux, marques ou signaux autorisés par ailleurs dans les présentes Règles.

d) L'Organisation peut adopter les dispositifs de séparation du trafic aux fins des présentes Règles.

e) Toutes les fois qu'un gouvernement considère qu'un navire de construction spéciale ou affecté à des opérations spéciales ne peut se conformer à toutes les dispositions de l'une quelconque des présentes Règles en ce qui concerne le nombre, l'emplacement, la portée ou le secteur de visibilité des feux et marques, ainsi que l'implantation et les caractéristiques des dispositifs de signalisation sonore, ce navire doit se conformer à telles autres dispositions relatives au nombre, à l'emplacement, à la portée ou au secteur de visibilité des feux ou marques, ainsi qu'à l'implantation et aux caractéristiques des dispositifs de signalisation sonore, qui, de l'avis du gouvernement intéressé, permettent dans ces cas de se conformer d'aussi près que possible aux présentes Règles.

### Règle 2
*Responsabilité*

a) Aucune disposition des présentes Règles ne saurait exonérer soit un navire, soit son propriétaire, son capitaine ou son équipage des conséquences d'une négligence quelconque quant à l'application des présentes Règles ou quant à toute précaution que commandent l'expérience ordinaire du marin ou les circonstances particulières dans lesquelles se trouve le navire.

b) En interprétant et en appliquant les présentes Règles, on doit tenir dûment compte de tous les dangers de la navigation et des risques d'abordage, ainsi que de toutes les circonstances particulières, notamment les limites d'utilisation des navires en cause, qui peuvent obliger à s'écarter des présentes Règles pour éviter un danger immédiat.

### Règle 3
*Définitions générales*

Aux fins des présentes Règles, sauf dispositions contraires résultant du contexte :

a) Le terme "navire" désigne tout engin ou tout appareil de quelque nature que ce soit, y compris les engins sans tirant d'eau et les hydravions, utilisé ou susceptible d'être utilisé comme moyen de transport sur l'eau.

b) L'expression "navire à propulsion mécanique" désigne tout navire mû par une machine.

c) L'expression "navire à voile" désigne tout navire marchant à la voile, même s'il possède une machine propulsive, à condition toutefois que celle-ci ne soit pas utilisée.

d) L'expression "navire en train de pêcher" désigne tout navire qui pêche avec des filets, lignes, chaluts ou autres engins de pêche réduisant sa capacité de manœuvre, mais ne s'applique pas aux navires qui pêchent avec des lignes traînantes ou autres engins de pêche ne réduisant pas leur capacité de manœuvre.

e) Le terme "hydravion" désigne tout aéronef conçu pour manœuvrer sur l'eau.

f) L'expression "navire qui n'est pas maître de sa manœuvre" désigne un navire qui, en raison de circonstances exceptionnelles, n'est pas en mesure de manœuvrer conformément aux présentes Règles et ne peut donc pas s'écarter de la route d'un autre navire.

g) L'expression "navire à capacité de manœuvre restreinte" désigne tout navire dont la capacité à manœuvrer conformément aux présentes Règles est limitée de par la nature de ses travaux, et qui ne peut par conséquent pas s'écarter de la route d'un autre navire.

Les "navires à capacité de manœuvre restreinte" comprennent, sans que cette liste soit limitative :

i) Les navires en train de poser, ou de relever une bouée, un câble ou un pipe-line sous-marins ou d'en assurer l'entretien ;

ii) les navires en train d'effectuer des opérations de dragage, d'hydrographie ou d'océanographie, ou des travaux sous-marins ;

iii) les navires en train d'effectuer un ravitaillement ou de transborder des personnes, des provisions ou une cargaison et faisant route ;

iv) les navires en train d'effectuer des opérations de décollage ou d'appontage ou de récupération d'aéronefs ;

v) les navires en train d'effectuer des opérations de déminage ;

vi) les navires en train d'effectuer une opération de remorquage qui permet difficilement au navire remorqueur et à sa remorque de modifier leur route.

h) L'expression "navire handicapé par son tirant d'eau" désigne tout navire à propulsion mécanique qui, en raison de son tirant d'eau, de la profondeur et de la largeur disponibles des eaux navigables, peut difficilement modifier sa route.

i) L'expression "faisant route" s'applique à tout navire qui n'est ni à l'ancre, ni amarré à terre, ni échoué.

j) Les termes "longueur" et "largeur" d'un navire désignent sa longueur hors tout et sa plus grande largeur.

k) Deux navires ne sont considérés comme étant en vue l'un de l'autre que lorsque l'un d'eux peut être observé visuellement par l'autre.

l) L'expression "visibilité réduite" désigne toute situation où la visibilité est diminuée par suite de brume, bruine, neige, forts grains de pluie ou tempête de sable, ou pour toutes autres causes analogues.

## PARTIE B — RÈGLES DE BARRE ET DE ROUTE (Règles 4 à 19)

### SECTION 1 — CONDUITE DES NAVIRES DANS TOUTES LES CONDITIONS DE VISIBILITÉ (Règles 4 à 10)

### Règle 4
*Champ d'application*

Les règles de la présente section s'appliquent dans toutes les conditions de visibilité.

### Règle 5
*Veille*

Tout navire doit en permanence assurer une veille visuelle et auditive appropriée, en utilisant également tous les moyens disponibles qui sont adaptés aux circonstances et conditions existantes, de manière à permettre une pleine appréciation de la situation et du risque d'abordage.

### Règle 6
*Vitesse de sécurité*

Tout navire doit maintenir en permanence une vitesse de sécurité telle qu'il puisse prendre des mesures appropriées et efficaces pour éviter un abordage et pour s'arrêter sur une distance adaptée aux circonstances et conditions existantes.

Les facteurs suivants doivent notamment être pris en considération pour déterminer la vitesse de sécurité :

a) Par tous les navires :

i) la visibilité ;

ii) la densité du trafic et notamment les concentrations de navires de pêche ou de tous autres navires ;

iii) la capacité de manœuvre du navire et plus particulièrement sa distance d'arrêt et ses qualités de giration dans les conditions existantes ;

iv) de nuit, la présence d'un arrière-plan lumineux tel que celui créé par des feux côtiers ou une diffusion de la lumière des propres feux du navire ;

v) L'état du vent, de la mer et des courants et la proximité de risques pour la navigation ;

vi) Le tirant d'eau en fonction de la profondeur d'eau disponible.

b) De plus, par les navires qui utilisent un radar :

i) Les caractéristiques, l'efficacité et les limites d'utilisation de l'équipement radar ;

ii) Les limitations qui résultent de l'échelle de portée utilisée sur le radar ;

iii) L'effet de l'état de la mer, des conditions météorologiques et d'autres sources de brouillage sur la détection au radar ;

iv) Le fait que les petits bâtiments, les glaces et d'autres objets flottants peuvent ne pas être décelés par le radar à une distance suffisante ;

v) Le nombre, la position et le mouvement des navires détectés par le radar ;

vi) Le fait qu'il est possible d'apprécier plus exactement la visibilité lorsque le radar est utilisé pour déterminer la distance des navires et des autres objets situés dans les parages.

### Règle 7
### *Risque d'abordage*

a) Tout navire doit utiliser tous les moyens disponibles qui sont adaptés aux circonstances et conditions existantes pour déterminer s'il existe un risque d'abordage. S'il y a un doute quant au risque d'abordage, on doit considérer que ce risque existe.

b) S'il y a à bord un équipement radar en état de marche, on doit l'utiliser de façon appropriée en recourant, en particulier, au balayage à longue portée afin de déceler à l'avance un risque d'abordage, ainsi qu'au « plotting » radar ou à toute autre observation systématique équivalente des objets détectés.

c) On doit éviter de tirer des conclusions de renseignements insuffisants, notamment de renseignements radar insuffisants.

d) L'évaluation d'un risque d'abordage doit notamment tenir compte des considérations suivantes :

i) Il y a un risque d'abordage si le relèvement au compas d'un navire qui s'approche ne change pas de manière appréciable ;

ii) Un tel risque peut parfois exister même si l'on observe une variation appréciable du relèvement, particulièrement lorsque l'on s'approche d'un très grand navire, d'un train de remorque ou d'un navire qui est à courte distance.

### Règle 8
### *Manœuvre pour éviter les abordages*

a) Toute manœuvre entreprise pour éviter un abordage doit, si les circonstances le permettent, être exécutée franchement, largement à temps et conformément aux bons usages maritimes.

b) Tout changement de cap ou de vitesse, ou des deux à la fois, visant à éviter un abordage doit, si les circonstances le permettent, être assez important pour être immédiatement perçu par tout navire qui l'observe visuellement ou au radar ; une succession de changements peu importants de cap ou de vitesse, ou des deux à la fois, est à éviter.

c) Si le navire a suffisamment de place, le changement de cap à lui seul peut être la manœuvre la plus efficace pour éviter de se trouver en situation très rapprochée à condition que cette manœuvre soit faite largement à temps, qu'elle soit franche et qu'elle n'aboutisse pas à une autre situation très rapprochée.

d) Les manœuvres effectuées pour éviter l'abordage avec un autre navire doivent être telles qu'elles permettent de passer à une distance suffisante. L'efficacité des manœuvres doit être attentivement contrôlée jusqu'à ce que l'autre navire soit définitivement paré et clair.

e) Si cela est nécessaire pour éviter un abordage ou pour laisser plus de temps pour apprécier la situation, un navire doit réduire sa vitesse ou casser son erre en arrêtant son appareil propulsif ou en battant en arrière au moyen de cet appareil.

f) Ne pas gêner :

i) Un navire qui, en vertu de l'une quelconque des présentes Règles, est tenu de ne pas gêner le passage d'un autre navire ou de permettre son libre passage doit, lorsque les circonstances l'exigent, manœuvrer sans tarder afin de laisser suffisamment de place à l'autre navire pour permettre son libre passage.

ii) Un navire qui est tenu de ne pas gêner le passage d'un autre navire ou de permettre son libre passage n'est pas dispensé de cette obligation s'il approche de l'autre navire de telle sorte qu'il existe un risque d'abordage et il doit, lorsqu'il effectue sa manœuvre, tenir dûment compte des manœuvres qui pourraient être requises en vertu des règles de la présente partie.

iii) Un navire dont le passage ne doit pas être gêné reste pleinement tenu de se conformer aux règles de la présente partie lorsque les deux navires se rapprochent l'un de l'autre de telle sorte qu'il existe un risque d'abordage.

## Règle 9
### Chenaux étroits

a) Les navires faisant route dans un chenal étroit ou une voie d'accès doivent, lorsque cela peut se faire sans danger, naviguer aussi près que possible de la limite extérieure droite du chenal ou de la voie d'accès.

b) Les navires de longueur inférieure à 20 mètres et les navires à voile ne doivent pas gêner le passage des navires qui ne peuvent naviguer en toute sécurité qu'à l'intérieur d'un chenal étroit ou d'une voie d'accès.

c) Les navires en train de pêcher ne doivent pas gêner le passage des autres navires naviguant à l'intérieur d'un chenal étroit ou d'une voie d'accès.

d) Un navire ne doit pas traverser un chenal étroit ou une voie d'accès si, ce faisant, il gêne le passage des navires qui ne peuvent naviguer en toute sécurité qu'à l'intérieur de ce chenal ou de cette voie d'accès ; ces derniers navires peuvent utiliser le signal sonore prescrit par la règle 34 d) s'ils doutent des intentions du navire qui traverse le chenal ou la voie d'accès.

e) i) Dans un chenal étroit ou une voie d'accès, lorsqu'un dépassement ne peut s'effectuer que si le navire rattrapé manœuvre pour permettre à l'autre navire de le dépasser en toute sécurité, le navire qui a l'intention de dépasser doit faire connaître son intention en émettant le signal sonore approprié prescrit par la règle 34 c) i). Le navire rattrapé doit, s'il est d'accord, faire entendre le signal approprié prescrit par la règle 34 c) ii) et manœuvrer de manière à permettre un dépassement en toute sécurité. S'il est dans le doute, il peut émettre les signaux sonores prescrits par la règle 34 d).

ii) La présente règle ne saurait dispenser le navire qui rattrape de l'obligation de se conformer aux dispositions de la règle 13.

f) Un navire qui s'approche d'un coude ou d'un endroit situé dans un chenal étroit ou une voie d'accès où d'autres navires peuvent être cachés par la présence d'obstacles doit naviguer dans cette zone avec une prudence et une vigilance particulières et faire entendre le signal approprié prescrit par la règle 34 e).

g) Tout navire doit, si les circonstances le permettent, éviter de mouiller dans un chenal étroit.

## Règle 10
### Dispositifs de séparation du trafic

a) La présente règle s'applique aux dispositifs de séparation du trafic adoptés par l'Organisation et ne saurait dispenser aucun navire de ses obligations en vertu de l'une quelconque des autres règles.

b) Les navires qui naviguent à l'intérieur d'un dispositif de séparation du trafic doivent :

i) suivre la voie de circulation (1) appropriée dans la direction générale du trafic pour cette voie ;

ii) s'écarter dans toute la mesure du possible de la ligne ou de la zone de séparation du trafic ;

iii) en règle générale, s'engager dans une voie de circulation (1) ou en sortir à l'une des extrémités, mais lorsqu'ils s'y engagent ou en sortent latéralement, effectuer cette manœuvre sous un angle aussi réduit que possible par rapport à la direction générale du trafic.

c) Les navires doivent éviter autant que possible de couper les voies de circulation mais, s'ils y sont obligés, ils doivent le faire en suivant un cap qui soit autant que possible perpendiculaire à la direction générale du trafic.

d) i) Les navires ne doivent pas utiliser une zone de navigation côtière lorsqu'ils peuvent, en toute sécurité, utiliser la voie de circulation appropriée du dispositif adjacent de séparation du trafic. Toutefois, les navires de longueur inférieure à 20 mètres, les navires à voile et les navires en train de pêcher peuvent utiliser la zone de navigation côtière ;

ii) nonobstant les dispositions de l'alinéa d) i), les navires peuvent utiliser une zone de navigation côtière lorsqu'ils gagnent ou quittent un port, une installation ou une structure au large, une station de pilotage ou tout autre endroit se trouvant à l'intérieur de la zone de navigation côtière ou pour éviter un danger immédiat.

---

(1) Cette expression est parfois remplacée par l'expression "couloir de circulation" dans certains ouvrages français.

e) Un navire autre qu'un navire qui coupe un dispositif ou qu'un navire qui s'engage dans une voie de circulation ou qui en sort ne doit normalement pas pénétrer dans une zone de séparation ou franchir une ligne de séparation sauf :

i) en cas d'urgence, pour éviter un danger immédiat ;

ii) pour pêcher dans une zone de séparation.

f) Les navires qui naviguent dans des zones proches des extrémités d'un dispositif de séparation du trafic doivent le faire avec une vigilance particulière.

g) Les navires doivent éviter, dans toute la mesure du possible, de mouiller à l'intérieur d'un dispositif de séparation du trafic ou dans les zones proches de ses extrémités.

h) Les navires qui n'utilisent pas un dispositif de séparation du trafic doivent s'en écarter aussi largement que possible.

i) Les navires en train de pêcher ne doivent pas gêner le passage des navires qui suivent une voie de circulation.

j) Les navires de longueur inférieure à 20 mètres ou les navires à voile ne doivent pas gêner le passage des navires à propulsion mécanique qui suivent une voie de circulation.

k) Un navire qui a une capacité de manœuvre restreinte lorsqu'il effectue une opération destinée au maintien de la sécurité de la navigation dans un dispositif de séparation du trafic est dispensé de satisfaire à la présente règle dans la mesure nécessaire pour effectuer l'opération.

l) Un navire qui a une capacité de manœuvre restreinte lorsqu'il effectue une opération en vue de poser, de réparer ou de relever un câble sous-marin à l'intérieur d'un dispositif de séparation du trafic, est dispensé de satisfaire à la présente règle dans la mesure nécessaire pour effectuer l'opération.

## SECTION II — CONDUITE DES NAVIRES EN VUE LES UNS DES AUTRES (Règles 11 à 18)

### Règle 11
*Champ d'application*
Les règles de la présente section s'appliquent aux navires qui sont en vue les uns des autres.

### Règle 12
*Navire à voile*
a) Lorsque deux navires à voile s'approchent l'un de l'autre de manière à faire craindre un abordage, l'un d'eux doit s'écarter de la route de l'autre comme suit :

i) quand les navires reçoivent le vent d'un bord différent, celui qui reçoit le vent de bâbord doit s'écarter de la route de l'autre ;

ii) quand les deux navires reçoivent le vent du même bord, celui qui est au vent doit s'écarter de la route de celui qui est sous le vent ;

iii) si un navire qui reçoit le vent de bâbord voit un autre navire au vent et ne peut pas déterminer avec certitude si cet autre navire reçoit le vent de bâbord ou de tribord, le premier doit s'écarter de la route de l'autre.

b) Aux fins d'application de la présente règle, le côté d'où vient le vent doit être considéré comme étant celui du bord opposé au bord de brassage de la grand-voile ou, dans le cas d'un navire à phares carrés, le côté opposé au bord de brassage de la plus grande voile aurique (ou triangulaire).

### Règle 13
*Navire qui en rattrape un autre*
a) Nonobstant toute disposition des règles des sections I et II de la partie B, tout navire qui en rattrape un autre doit s'écarter de la route de ce dernier.

b) Doit se considérer comme en rattrapant un autre navire qui s'approche d'un autre navire en venant d'une direction de plus de 22,5 degrés sur l'arrière du travers de ce dernier, c'est-à-dire qui se trouve dans une position telle, par rapport au navire rattrapé, que, de nuit, il pourrait voir seulement le feu arrière de ce navire, sans voir aucun de ses feux de côté.

c) Lorsqu'un navire ne peut déterminer avec certitude s'il en rattrape un autre, il doit se considérer comme un navire qui en rattrape un autre et manœuvrer en conséquence.

d) Aucun changement ultérieur dans le relèvement entre les deux navires ne peut faire considérer le navire qui rattrape l'autre comme croisant la route de ce dernier au sens des présentes règles ni l'affranchir de l'obligation de s'écarter de la route du navire rattrapé jusqu'à ce qu'il soit tout à fait paré et clair.

## Règle 14
*Navires qui font des routes directement opposées*

a) Lorsque deux navires à propulsion mécanique font des routes directement opposées ou à peu près opposées de telle sorte qu'il existe un risque d'abordage, chacun d'eux doit venir sur tribord pour passer par bâbord l'un de l'autre.

b) On doit considérer qu'une telle situation existe lorsqu'un navire en voit en autre devant lui ou pratiquement devant lui, de sorte que, de nuit, il verrait les feux de mât de l'autre navire, l'un par l'autre ou presque et/ou ses deux feux de côté et que, de jour, il verrait l'autre navire sous un angle correspondant.

c) Lorsqu'un navire ne peut déterminer avec certitude si une telle situation existe, il doit considérer qu'elle existe effectivement et manœuvrer en conséquence.

## Règle 15
*Navires dont les routes se croisent*

Lorsque deux navires à propulsion mécanique font des routes qui se croisent de telle sorte qu'il existe un risque d'abordage, le navire qui voit l'autre navire sur tribord doit s'écarter de la route de celui-ci et, si les circonstances le permettent, éviter de croiser sa route sur l'avant.

## Règle 16
*Manœuvre du navire non privilégié*

Tout navire qui est tenu de s'écarter de la route d'un autre navire doit, autant que possible, manœuvrer de bonne heure et franchement de manière à s'écarter largement.

## Règle 17
*Manœuvre du navire privilégié*

a)      i) Lorsqu'un navire est tenu de s'écarter de la route d'un autre navire, cet autre navire doit maintenir son cap et sa vitesse.

ii) Néanmoins, ce dernier peut manœuvrer, afin d'éviter l'abordage par sa seule manœuvre, aussitôt qu'il lui paraît évident que le navire qui est dans l'obligation de s'écarter de sa route n'effectue pas la manœuvre appropriée prescrite par les présentes Règles.

b) Quand, pour une cause quelconque, le navire qui est tenu de maintenir son cap et sa vitesse se trouve tellement près de l'autre que l'abordage ne peut être évité par la seule manœuvre du navire qui doit laisser la route libre, il doit de son côté faire la manœuvre qui est la meilleure pour aider à éviter l'abordage.

c) Un navire à propulsion mécanique qui manœuvre pour éviter un abordage avec un autre navire à propulsion mécanique dont la route croise la sienne dans les conditions prévues à l'alinéa a) ii) de la présente règle ne doit pas, si les circonstances le permettent, abattre sur bâbord lorsque l'autre navire est bâbord à lui.

d) La présente règle ne saurait dispenser le navire qui doit laisser la route libre de l'obligation de s'écarter de la route de l'autre navire.

## Règle 18
*Responsabilités réciproques des navires*

Sauf dispositions contraires des règles 9, 10 et 13 :

a) Un navire à propulsion mécanique faisant route doit s'écarter de la route :
   i) d'un navire qui n'est pas maître de sa manœuvre ;
   ii) d'un navire à capacité de manœuvre restreinte ;
   iii) d'un navire en train de pêcher ;
   iv) d'un navire à voile.

b) Un navire à voile faisant route doit s'écarter de la route :
   i) d'un navire qui n'est pas maître de sa manœuvre ;
   ii) d'un navire à capacité de manœuvre restreinte ;
   iii) d'un navire en train de pêcher.

c) Un navire en train de pêcher et faisant route doit, dans la mesure du possible, s'écarter de la route :
   i) d'un navire qui n'est pas maître de sa manœuvre ;
   ii) d'un navire à capacité de manœuvre restreinte.

d)      i) Tout navire autre qu'un navire qui n'est pas maître de sa manœuvre ou qu'un navire à capacité de manœuvre restreinte doit, si les circonstances le permettent, éviter de gêner le libre passage d'un navire handicapé par son tirant d'eau, qui montre les signaux prévus à la règle 28.

ii) Un navire handicapé par son tirant d'eau doit naviguer avec une prudence particulière, en tenant dûment compte de sa situation spéciale.

e) Un hydravion amerri doit, en règle générale, se tenir largement à l'écart de tous les navires et éviter de gêner leur navigation. Toutefois, lorsqu'il y a risque d'abordage, cet hydravion doit se conformer aux règles de la présente partie.

## Règle 19
*Conduite des navires par visibilité réduite*

a) La présente règle s'applique aux navires qui ne sont pas en vue les uns des autres et qui naviguent à l'intérieur ou à proximité de zones de visibilité réduite.

b) Tout navire doit naviguer à une vitesse de sécurité adaptée aux circonstances existantes et aux conditions de visibilité réduite. Les navires à propulsion mécanique doivent tenir leurs machines prêtes à manœuvrer immédiatement.

c) Tout navire, lorsqu'il applique les règles de la section I de la présente partie, doit tenir dûment compte des circonstances existantes et des conditions de visibilité réduite.

d) Un navire qui détecte au radar seulement la présence d'un autre navire doit déterminer si une situation très rapprochée est en train de se créer et/ou si un risque d'abordage existe. Dans ce cas, il doit prendre largement à temps les mesures pour éviter cette situation ; toutefois, si ces mesures consistent en un changement de cap, il convient d'éviter, dans la mesure du possible, les manœuvres suivantes :

i) un changement de cap sur bâbord dans le cas d'un navire qui se trouve sur l'avant du travers, sauf si ce navire est en train d'être rattrapé ;

ii) un changement de cap en direction d'un navire qui vient par le travers ou sur l'arrière du travers.

e) Sauf lorsqu'il a été établi qu'il n'existe pas de risque d'abordage, tout navire qui entend, dans une direction qui lui paraît être sur l'avant du travers, le signal de brume d'un autre navire, ou qui ne peut éviter une situation très rapprochée avec un autre navire situé sur l'avant du travers, doit réduire sa vitesse au minimum nécessaire pour maintenir son cap. Il doit, si nécessaire, casser son erre et, en toutes circonstances, naviguer avec une extrême précaution jusqu'à ce que le risque d'abordage soit passé.

## PARTIE C — FEUX ET MARQUES (Règles 20 à 31)

## Règle 20
*Champ d'application*

a) Les règles de la présente partie doivent être observées par tous les temps.

b) Les règles concernant les feux doivent être observées du coucher au lever du soleil. Pendant cet intervalle, on ne doit montrer aucun autre feu pouvant être confondu avec les feux prescrits par les présentes Règles et pouvant gêner la visibilité ou le caractère distinctif de ceux-ci ou pouvant empêcher d'exercer une veille satisfaisante.

c) Les feux prescrits par les présentes règles, lorsqu'ils existent, doivent également être montrés du lever au coucher du soleil par visibilité réduite et peuvent être montrés dans toutes les autres circonstances où cette mesure est jugée nécessaire.

d) Les règles concernant les marques doivent être observées de jour.

e) Les feux et les marques prescrits par les présentes Règles doivent être conformes aux dispositions de l'Annexe I des présentes Règles.

## Règle 21
*Définitions*

a) L'expression "feu de tête de mât" désigne un feu blanc placé au-dessus de l'axe longitudinal du navire, projetant une lumière ininterrompue sur tout le parcours d'un arc d'horizon de 225 degrés et disposé de manière à projeter cette lumière depuis l'avant jusqu'à 22,5 degrés sur l'arrière du travers de chaque bord.

b) L'expression "feu de côté" désigne un feu vert placé à tribord et un feu rouge placé à bâbord, projetant chacun une lumière ininterrompue sur tout le parcours d'un arc d'horizon de 112,5 degrés et disposés de manière à projeter cette lumière depuis l'avant jusqu'à 22,5 degrés sur l'arrière du travers de leur côté respectif. A bord des navires de longueur inférieure à 20 mètres, les feux de côté peuvent être combinés en un seul fanal placé dans l'axe longitudinal du navire.

c) L'expression "feu de poupe" désigne un feu blanc placé aussi près que possible de la poupe, projetant une lumière ininterrompue sur tout le parcours d'un arc d'horizon de 135 degrés et disposé de manière à projeter cette lumière sur un secteur de 67,5 degrés de chaque bord à partir de l'arrière.

d) L'expression "feu de remorquage" désigne un feu jaune ayant les mêmes caractéristiques que le feu de poupe défini au paragraphe c) de la présente règle.

e) L'expression "feu visible sur tout l'horizon" désigne un feu projetant une lumière ininterrompue sur un arc d'horizon de 360 degrés.

f) L'expression "feux à éclats" désigne un feu à éclats réguliers dont le rythme est de 120 éclats au plus par minute.

## Règle 22
### Portée lumineuse des feux
Les feux prescrits par les présentes Règles doivent avoir l'intensité spécifiée à la section 8 de l'annexe I du présent Règlement, de manière à être visibles aux distances minimales suivantes :

a) pour les navires de longueur égale ou supérieure à 50 mètres :
— feu de tête de mât : 6 milles
— feu de côté : 3 milles
— feu de poupe : 3 milles
— feu de remorquage : 3 milles
— feu blanc, rouge, vert ou jaune visible sur tout l'horizon : 3 milles.

b) pour les navires de longueur égale ou supérieure à 12 mètres, mais inférieure à 50 mètres :
— feu de tête de mât : 5 milles ; si la longueur du navire est inférieure à 20 mètres : 3 milles
— feu de côté : 2 milles
— feu de poupe : 2 milles
— feu de remorquage : 2 milles
— feu blanc, rouge, vert ou jaune visible sur tout l'horizon : 2 milles.

c) pour les navires de longueur inférieure à 12 mètres :
— feu de tête de mât : 2 milles
— feu de côté : 1 mille
— feu de poupe : 2 milles
— feu de remorquage : 2 milles
— feu blanc, rouge, vert ou jaune visible sur tout l'horizon : 2 milles.

d) pour les navires ou objets remorqués qui sont partiellement submergés et difficiles à apercevoir :
— feu blanc visible sur tout l'horizon : 3 milles.

## Règle 23
### Navires à propulsion mécanique faisant route
a) Un navire à propulsion mécanique faisant route doit montrer :
　　　　i) un feu de tête de mât à l'avant ;
　　　　ii) un second feu de tête de mât à l'arrière du premier et plus haut que celui-ci ; toutefois, les navires de longueur inférieure à 50 mètres ne sont pas tenus de montrer ce feu, mais peuvent le faire ;
　　　　iii) des feux de côté ;
　　　　iv) un feu de poupe.

b) Un aéroglisseur exploité sans tirant d'eau doit, outre les feux prescrits au paragraphe a) de la présente règle, montrer un feu jaune à éclats visible sur tout l'horizon.

c)　　i) Un navire à propulsion mécanique de longueur inférieure à 12 mètres peut, au lieu des feux prescrits au paragraphe a) de la présente règle, montrer un feu blanc visible sur tout l'horizon et des feux de côté.

　　　　ii) Un navire à propulsion mécanique de longueur inférieure à 7 mètres et dont la vitesse maximale ne dépasse pas 7 nœuds peut, au lieu des feux prescrits au paragraphe a) de la présente règle, montrer un feu blanc visible sur tout l'horizon ; il doit, si possible, montrer en outre des feux de côté.

　　　　iii) Le feu de tête de mât ou le feu blanc visible sur tout l'horizon à bord d'un navire à propulsion mécanique de longueur inférieure à 12 mètres peut ne pas se trouver dans l'axe longitudinal du navire s'il n'est pas possible de l'installer sur cet axe à condition que les feux de côté soient combinés en un seul fanal qui soit disposé dans l'axe longitudinal du navire ou situé aussi près que possible de l'axe longitudinal sur lequel se trouve le feu de tête de mât ou le feu blanc visible sur tout l'horizon.

## Règle 24
### Remorquage et poussage
a) Un navire à propulsion mécanique en train de remorquer doit montrer :
　　　　i) au lieu du feu prescrit par la règle 23 a) i) ou par la règle 23 a) ii), deux feux de tête de mât superposés. Lorsque la longueur du train de remorque mesurée de l'arrière du navire remorquant à l'extrémité arrière du train de remorque dépasse 200 mètres, il doit montrer trois de ces feux superposés ;
　　　　ii) des feux de côté ;
　　　　iii) un feu de poupe ;
　　　　iv) un feu de remorquage placé à la verticale au-dessus du feu de poupe ;
　　　　v) à l'endroit le plus visible, lorsque la longueur du train de remorque dépasse 200 mètres, une marque biconique.

b) Un navire en train de pousser et un navire poussé en avant reliés par un raccordement rigide de manière à former une unité composite doivent être considérés comme un navire à propulsion mécanique et montrer les feux prescrits par la règle 23.

c) Un navire à propulsion mécanique en train de pousser en avant ou de remorquer à couple doit, sauf s'il s'agit d'une unité composite, montrer :
  i) au lieu du feu prescrit par la règle 23 a) i), ou par la règle 23 a) ii), à l'avant, deux feux de tête de mât superposés ;
  ii) des feux de côté ;
  iii) un feu de poupe.

d) Un navire à propulsion mécanique auquel les dispositions des paragraphes a) ou c) de la présente règle s'appliquent, doit également se conformer aux dispositions de la règle 23 a) ii).

e) Un navire ou objet remorqué autre que ceux mentionnés au paragraphe g) de la présente règle doit montrer :
  i) des feux de côté ;
  ii) un feu de poupe ;
  iii) à l'endroit le plus visible, lorsque la longueur du train de remorque dépasse 200 mètres, une marque biconique.

f) Étant entendu que les feux d'un nombre quelconque de navires remorqués à couple ou poussés en groupe doivent correspondre à ceux d'un seul navire.
  i) Un navire poussé en avant, ne faisant pas partie d'une unité composite, doit montrer à son extrémité avant des feux de côté.
  ii) Un navire remorqué à couple doit montrer un feu de poupe et, à son extrémité avant, des feux de côté.

g) Un navire ou objet remorqué qui est partiellement submergé et difficile à apercevoir, ou un ensemble de ces navires ou objets remorqués, doit montrer :
  i) lorsque sa largeur est inférieure à 25 mètres, un feu blanc visible sur tout l'horizon à l'extrémité avant ou à proximité de celle-ci et un autre à l'extrémité arrière ou à proximité de celle-ci, exception faite des dracones, qui ne sont pas tenues de montrer un feu à leur extrémité avant ou à proximité de celle-ci ;
  ii) lorsque sa largeur est égale ou supérieure à 25 mètres, deux feux blancs supplémentaires visibles sur tout l'horizon aux extrémités de sa largeur ou à proximité de celles-ci ;
  iii) lorsque sa longueur est supérieure à 100 mètres, des feux blancs visibles sur tout l'horizon supplémentaires entre les feux prescrits aux alinéas i) et ii) de telle sorte que la distance entre les feux ne soit pas supérieure à 100 mètres ;
  iv) un marque biconique à l'extrémité arrière ou près de l'extrémité arrière du dernier navire ou objet remorqué et, lorsque la longueur du train de remorque est supérieure à 200 mètres, une marque biconique supplémentaire à l'endroit le plus visible et le plus à l'avant possible.

h) Si, pour une raison suffisante, le navire ou l'objet remorqué est dans l'impossibilité de montrer les feux ou les marques prescrits au paragraphe e) ou g) de la présente règle, toutes les mesures possibles sont prises pour éclairer le navire ou l'objet remorqué ou tout au moins pour indiquer la présence d'un tel navire ou objet.

i) Si, pour une raison suffisante, un navire qui n'effectue pas ordinairement des opérations de remorquage est dans l'impossibilité de montrer les feux prescrits au paragraphe a) ou c) de la présente règle, ce navire n'est pas tenu de montrer ces feux lorsqu'il procède au remorquage d'un autre navire en détresse ou ayant besoin d'une assistance pour d'autres raisons. Toutes les mesures possibles doivent être prises pour indiquer de la manière autorisée par la règle 36, notamment en éclairant le câble de remorquage, le rapport entre le navire remorqueur et le navire remorqué.

## Règle 25
*Navires à voile faisant route et navires à l'aviron*

a) Un navire à voile qui fait route doit montrer :
  i) des feux de côté ;
  ii) un feu de poupe.

b) A bord d'un navire à voile de longueur inférieure à 20 mètres, les feux prescrits au paragraphe a) de la présente règle peuvent être réunis en un seul fanal placé au sommet ou à la partie supérieure du mât, à l'endroit le plus visible.

c) En plus des feux prescrits au paragraphe a) de la présente règle, un navire à voile faisant route peut montrer, au sommet ou à la partie supérieure du mât, à l'endroit où ils sont le plus apparents, des feux superposés visibles sur tout l'horizon, le feu supérieur étant rouge et le feu inférieur vert. Toutefois, ces feux ne doivent pas être montrés en même temps que le fanal autorisé par le paragraphe b) de la présente règle.

d)    i) Un navire à voile de longueur inférieure à 7 mètres doit, si possible, montrer les feux prescrits aux paragraphes a) ou b) de la présente règle mais, s'il ne le fait pas, il doit être prêt à montrer immédiatement, pour prévenir un abordage, une lampe électrique ou un fanal allumé à feu blanc.

ii) Un navire à l'aviron peut montrer les feux prescrits par la présente règle pour les navires à voile mais s'il ne le fait pas, il doit être prêt à montrer immédiatement, pour prévenir un abordage, une lampe électrique ou un fanal allumé à feu blanc.

e) Un navire qui fait route simultanément à la voile et au moyen d'un appareil propulsif doit montrer à l'avant, à l'endroit le plus visible, une marque de forme conique, la pointe en bas.

### Règle 26
*Navires de pêche*
a) Un navire en train de pêcher ne doit, lorsqu'il fait route ou lorsqu'il est au mouillage, montrer que les feux et marques prescrits par la présente règle.

b) Un navire en train de chaluter, c'est-à-dire de tirer dans l'eau un chalut ou autre engin de pêche, doit montrer :

i) deux feux superposés visibles sur tout l'horizon, le feu supérieur étant vert et le feu inférieur blanc, ou une marque formée de deux cônes superposés réunis par la pointe ; un navire de longueur inférieure à 20 mètres peut, au lieu de cette marque, montrer un panier ;

ii) un feu de tête de mât disposé à une hauteur supérieure à celle du feu vert visible sur tout l'horizon et à l'arrière de celui-ci. Les navires de longueur inférieure à 50 mètres ne sont pas tenus de montrer ce feu, mais peuvent le faire :

iii) lorsqu'il a de l'erre, outre les feux prescrits au présent paragraphe, des feux de côté et un feu de poupe.

c) Un navire en train de pêcher, autre qu'un navire en train de chaluter, doit montrer :

i) deux feux superposés visibles sur tout l'horizon, le feu supérieur étant rouge et le feu inférieur blanc, ou une marque formée de deux cônes superposés réunis par la pointe ; un navire de longueur inférieure à 20 mètres peut, au lieu de cette marque, montrer un panier ;

ii) si son engin de pêche est déployé sur une distance horizontale supérieure à 150 mètres à partir du navire, un feu blanc visible sur tout l'horizon ou un cône, la pointe en haut, dans l'alignement de l'engin ;

iii) lorsqu'il a de l'erre, outre les feux prescrits au présent paragraphe, des feux de côté et un feu de poupe.

d) Un navire en train de pêcher à proximité d'autres navires en train de pêcher peut montrer les signaux supplémentaires décrits à l'Annexe II du présent Règlement.

e) Un navire qui n'est pas en train de pêcher ne doit pas montrer les feux ou marques prescrits par la présente règle, mais seulement ceux qui sont prescrits pour un navire de sa longueur.

### Règle 27
*Navires qui ne sont pas maîtres de leur manœuvre*
*et navires à capacité de manœuvre restreinte*
a) Un navire qui n'est pas maître de sa manœuvre doit montrer :

i) à l'endroit le plus visible, deux feux rouges superposés visibles sur tout l'horizon ;

ii) à l'endroit le plus visible, deux boules ou marques analogues superposées ;

iii) lorsqu'il a de l'erre, outre les feux prescrits au présent paragraphe, des feux de côté et un feu de poupe.

b) Un navire à capacité de manœuvre restreinte, autre qu'un navire effectuant des opérations de déminage, doit montrer :

i) à l'endroit le plus visible, trois feux superposés visibles sur tout l'horizon, les feux supérieur et inférieur étant rouges et le feu du milieu blanc ;

ii) à l'endroit le plus visible, trois marques superposées, les marques supérieure et inférieure étant des boules, celle du milieu un bicône ;

iii) lorsqu'il a de l'erre, outre les feux prescrits à l'alinéa i), un feu ou des feux de tête de mât, des feux de côté et un feu de poupe ;

iv) lorsqu'il est au mouillage, outre les feux ou marques prescrits aux alinéas i) et ii), les feux ou marques prescrits par la règle 30.

c) Un navire à propulsion mécanique en train d'effectuer une opération de remorquage qui permet difficilement au navire remorqueur et à sa remorque de modifier leur route doit, outre les feux ou marques prescrits par la règle 24 a), montrer les feux ou marques prescrits aux paragraphes b) i) et b) ii) de la présente règle.

d) Un navire à capacité de manœuvre restreinte en train de draguer ou d'effectuer des opérations sous-marines doit montrer les feux et marques prescrits aux alinéas i), ii) et iii) du paragraphe b) de la présente règle et, lorsqu'il existe une obstruction, doit montrer en outre :

i) deux feux rouges visibles sur tout l'horizon ou deux boules superposées pour indiquer le côté où se trouve l'obstruction ;

ii) deux feux verts visibles sur tout l'horizon ou deux bicônes superposés pour indiquer le côté sur lequel un autre navire peut passer ;

iii) lorsqu'il est au mouillage, au lieu des feux ou de la marque prescrits par la règle 30, les feux ou marques prescrits dans le présent paragraphe.

e) Un navire participant à des opérations de plongée qui ne peut, en raison de ses dimensions, montrer tous les feux et marques prescrits au paragraphe d) de la présente règle, doit montrer :

i) à l'endroit le plus visible, trois feux superposés, visibles sur tout l'horizon, les feux supérieur et inférieur étant rouges et le feu du milieu blanc ;

ii) une reproduction rigide, d'au moins un mètre de hauteur, du pavillon "A" du Code international de signaux. Il doit prendre des mesures pour que cette reproduction soit visible sur tout l'horizon.

f) Un navire effectuant des opérations de déminage doit montrer, outre les feux prescrits pour les navires à propulsion mécanique par la règle 23 ou les feux ou la marque prescrits pour les navires au mouillage par la règle 30, selon le cas, trois feux verts visibles sur tout l'horizon ou trois boules. Il doit montrer un de ces feux ou marques à proximité de la tête du mât de misaine et un de ces feux ou marques à chaque extrémité de la vergue de misaine. Ces feux ou marques indiquent qu'il est dangereux pour un autre navire de s'approcher à moins de 1000 mètres du navire qui effectue le déminage.

g) Les navires de longueur inférieure à 12 mètres, à l'exception des navires participant à des opérations de plongée ne sont pas tenus de montrer les feux et marques prescrits par la présente règle.

h) Les signaux prescrits par la présente règle ne sont pas des signaux de navires en détresse et demandant assistance. Les signaux de cette dernière catégorie font l'objet de l'Annexe IV du présent Règlement.

### Règle 28
#### *Navires handicapés par leur tirant d'eau*
Un navire handicapé par son tirant d'eau peut, outre les feux prescrits pour les navires à propulsion mécanique par la règle 23, montrer à l'endroit le plus visible trois feux rouges superposés visibles sur tout l'horizon ou une marque cylindrique.

### Règle 29
#### *Bateaux-pilotes*
a) Un bateau-pilote en service de pilotage doit montrer :

i) à la tête du mât ou à proximité de celle-ci, deux feux superposés visibles sur tous l'horizon, le feu supérieur étant blanc et le feu inférieur rouge ;

i    i) de plus, lorsqu'il fait route, des feux de côté et un feu de poupe ;

iii) au mouillage, outre les feux prescrits à l'alinéa i), le feu, les feux ou la marque prescrits par la règle 30 pour les navires au mouillage.

b) Un bateau-pilote qui n'est pas en service de pilotage doit montrer les feux ou marques prescrits pour un navire de sa longueur.

### Règle 30
#### *Navires au mouillage et navires échoués*
a) Un navire au mouillage doit montrer à l'endroit le plus visible :

i) à l'avant, un feu blanc visible sur tout l'horizon ou une boule ;

ii) à l'arrière ou près de l'arrière, plus bas que le feu prescrit à l'alinéa i), un feu blanc visible sur tout l'horizon.

b) Un navire au mouillage de longueur inférieure à 50 mètres peut montrer, à l'endroit le plus visible, un feu blanc visible sur tout l'horizon, au lieu des feux prescrits au paragraphe a) de la présente règle.

c) En outre, un navire au mouillage peut utiliser ses feux de travail disponibles ou des feux équivalents pour illuminer ses ponts. Cette disposition est obligatoire pour les navires de longueur égale ou supérieure à 100 mètres.

d) Un navire échoué doit montrer les feux prescrits aux paragraphes a) ou b) de la présente règle et, de plus, à l'endroit le plus visible :

i) deux feux rouges superposés visibles sur tout l'horizon ;

ii) trois boules superposées.

e) Les navires de longueur inférieure à 7 mètres, lorsqu'ils sont au mouillage, ne sont pas tenus de montrer les feux ou la marque prescrits aux paragraphes a) et b) de la présente règle, sauf s'ils sont au mouillage dans un chenal étroit, une voie d'accès ou un ancrage, à proximité de ces lieux, ou sur les routes habituellement fréquentées par d'autres navires.

f) Les navires de longueur inférieure à 12 mètres, lorsqu'ils sont échoués, ne sont pas tenus de montrer les feux ou marques prescrits aux alinéas i) et ii) du paragraphe d) de la présente règle.

### Règle 31
#### Hydravions
Un hydravion qui est dans l'impossibilité de montrer les feux et marques présentant les caractéristiques et situés aux emplacements prescrits par les règles de la présente partie, doit montrer des feux et marques se rapprochant le plus possible de ceux prescrits par ces règles.

## PARTIE D — SIGNAUX SONORES ET LUMINEUX (Règles 32 à 37)
### Règle 32
#### Définitions
a) Le terme "sifflet" désigne tout appareil de signalisation sonore capable d'émettre les sons prescrits et conforme aux spécifications de l'Annexe III du présent Règlement.

b) L'expression "son bref" désigne un son d'une durée d'environ une seconde.

c) L'expression "son prolongé" désigne un son d'une durée de quatre à six secondes.

### Règle 33
#### Matériel de signalisation sonore
a) Les navires de longueur égale ou supérieure à 12 mètres doivent être pourvus d'un sifflet et d'une cloche et les navires de longueur égale ou supérieure à 100 mètres doivent être en outre pourvus d'un gong dont le son et le timbre ne doivent pas pouvoir être confondus avec ceux de la cloche. Le sifflet, la cloche et le gong doivent satisfaire aux spécifications de l'Annexe III du présent Règlement. La cloche ou le gong, ou les deux, peuvent être remplacés par un autre matériel ayant respectivement les mêmes caractéristiques sonores, à condition qu'il soit toujours possible d'actionner manuellement les signaux prescrits.

b) Les navires de longueur inférieure à 12 mètres ne sont pas tenus d'avoir à leur bord les appareils de signalisation sonore prescrits au paragraphe a) de la présente règle, mais ils doivent, en l'absence de tels appareils, être munis d'un autre moyen d'émettre un signal sonore efficace.

### Règle 34
#### Signaux de manœuvre et signaux d'avertissement
a) Lorsque des navires sont en vue les uns des autres, un navire à propulsion mécanique faisant route doit, lorsqu'il effectue des manœuvres autorisées ou prescrites par les présentes Règles, indiquer ces manœuvres par les signaux suivants, émis au sifflet :
— un son bref pour dire : "Je viens sur tribord" ;
— deux sons brefs pour dire : "Je viens sur bâbord" ;
— trois sons brefs pour dire : "Je bats en arrière".

b) Tous les navires peuvent compléter les signaux au sifflet prescrits au paragraphe a) de la présente règle par des signaux lumineux répétés, selon les besoins, pendant toute la durée de la manœuvre :
i) ces signaux lumineux ont la signification suivante :
— un éclat pour dire : "Je viens sur tribord" ;
— deux éclats pour dire : "Je viens sur bâbord" ;
— trois éclats pour dire : "Je bats en arrière".
ii) chaque éclat doit durer une seconde environ, l'intervalle entre les éclats doit être d'une seconde environ et l'intervalle entre les signaux successifs doit être de dix secondes au moins ;

iii) le feu utilisé pour ce signal doit, s'il existe, être un feu blanc visible sur tout l'horizon à une distance de cinq milles au moins et doit être conforme aux dispositions de l'Annexe I du présent Règlement.

c) Lorsqu'ils sont en vue l'un de l'autre dans un chenal étroit ou une voie d'accès :

i) un navire qui entend en rattraper un autre doit, conformément aux dispositions de la règle 9 e) i), indiquer son intention en émettant au sifflet les signaux suivants :

— deux sons prolongés suivis d'un son bref pour dire : "Je compte vous rattraper sur tribord" ;

— deux sons prolongés suivis de deux sons brefs pour dire : "Je compte vous rattraper sur bâbord" ;

ii) le navire qui est sur le point d'être rattrapé doit, en manœuvrant conformément aux dispositions de la règle 9 e) i), indiquer son accord en émettant au sifflet le signal suivant :

— un son prolongé, un son bref, un son prolongé et un son bref, émis dans cet ordre.

d) Lorsque deux navires en vue l'un de l'autre s'approchent l'un de l'autre et que, pour une raison quelconque, l'un d'eux ne comprend pas les intentions ou les manœuvres de l'autre, ou se demande si l'autre navire prend les mesures suffisantes pour éviter l'abordage, le navire qui a des doutes les exprime immédiatement en émettant au sifflet une série rapide d'au moins cinq sons brefs. Ce signal peut être complété par un signal lumineux d'au moins cinq éclats brefs et rapides.

e) Un navire s'approchant d'un coude ou d'une partie d'un chenal ou d'une voie d'accès où d'autres navires peuvent être cachés par un obstacle doit faire entendre un son prolongé. Tout navire venant dans sa direction qui entend le signal de l'autre côté du coude ou derrière l'obstacle doit répondre à ce signal en faisant entendre un son prolongé.

f) Lorsque des sifflets sont installés à bord d'un navire à une distance de plus de 100 mètres les uns des autres, on ne doit utiliser qu'un seul sifflet pour émettre des signaux de manœuvre et des signaux avertisseurs.

## Règle 35
### *Signaux sonores par visibilité réduite*

Tant de jour que de nuit, à l'intérieur ou à proximité d'une zone où la visibilité est réduite, les signaux prescrits par la présente règle doivent être utilisés comme suit :

a) Un navire à propulsion mécanique ayant de l'erre, doit faire entendre un son prolongé à des intervalles ne dépassant pas deux minutes.

b) Un navire à propulsion mécanique faisant route, mais stoppé et n'ayant pas d'erre, doit faire entendre, à des intervalles ne dépassant pas deux minutes, deux sons prolongés séparés par un intervalle de deux secondes environ.

c) Un navire qui n'est pas maître de sa manœuvre, un navire à capacité de manœuvre restreinte, un navire handicapé par son tirant d'eau, un navire à voile, un navire en train de pêcher et un navire qui en remorque ou en pousse un autre doivent émettre, au lieu des signaux prescrits aux paragraphes a) ou b) de la présente règle, trois sons consécutifs, à savoir un son prolongé suivi de deux sons brefs, à des intervalles ne dépassant pas deux minutes.

d) Un navire en train de pêcher, lorsqu'il est au mouillage, et un navire à capacité de manœuvre restreinte qui procède à ses travaux au mouillage doivent émettre, au lieu des signaux prescrits au paragraphe g) de la présente règle, le signal prescrit au paragraphe c) de la présente règle.

e) Un navire remorqué ou, s'il en est remorqué plus d'un, le dernier navire du convoi doit, s'il a un équipage à bord, faire entendre, à des intervalles ne dépassant pas deux minutes, quatre sons consécutifs, à savoir un son prolongé suivi de trois sons brefs. Lorsque cela est possible, ce signal doit être émis immédiatement après le signal du navire remorqueur.

f) Un navire en train de pousser et un navire poussé en avant reliés par un raccordement rigide de manière à former une unité composite doivent être considérés comme un navire à propulsion mécanique et doivent faire entendre les signaux prescrits aux paragraphes a) ou b) de la présente règle.

g) Un navire au mouillage doit sonner la cloche rapidement pendant cinq secondes environ, à des intervalles ne dépassant pas une minute. À bord d'un navire de longueur égale ou supérieure à 100 mètres, on doit sonner la cloche sur la partie avant du navire et, immédiatement après, sonner rapidement le gong pendant cinq secondes environ sur la partie arrière. Un navire au mouillage peut en outre faire entendre trois sons consécutifs, à savoir un son bref suivi d'un son prolongé et d'un son bref, pour signaler sa position et la possibilité d'un abordage à un navire qui s'approche.

h) Un navire échoué doit sonner la cloche et, en cas de besoin, faire entendre le gong, ainsi qu'il est prescrit au paragraphe g) de la présente règle. De plus, il doit faire entendre trois coups de cloche séparés et distincts immédiatement avant et après avoir fait entendre la sonnerie rapide de la cloche. De plus, un navire échoué peut émettre au sifflet un signal approprié.

i) Un navire de longueur inférieure à 12 mètres n'est pas tenu de faire entendre les signaux mentionnés ci-dessus, mais lorsqu'il ne le fait pas, il doit faire entendre un autre signal sonore efficace à des intervalles ne dépassant pas deux minutes.

j) Un bateau-pilote en service de pilotage peut, outre les signaux prescrits aux paragraphes a), b) ou g) de la présente règle, faire entendre un signal d'identification consistant en quatre sons brefs.

## Règle 36
### Signaux destinés à appeler l'attention

Tout navire peut, s'il juge nécessaire d'appeler l'attention d'un autre navire, émettre des signaux lumineux ou sonores ne pouvant être confondus avec tout autre signal autorisé par l'une quelconque des présentes règles, ou bien orienter le faisceau de son projecteur en direction du danger qui menace un navire de façon telle que ce faisceau ne puisse gêner d'autres navires.

Tout feu destiné à attirer l'attention d'un autre navire ne doit pas pouvoir être confondu avec une aide à la navigation. Aux fins de la présente règle, l'emploi de feux intermittents ou tournants à haute intensité, tels que les phares gyroscopiques, doit être évité.

## Règle 37
### Signaux de détresse

Un navire qui est en détresse et demande assistance doit utiliser ou montrer les signaux décrits à l'Annexe IV du présent Règlement.

## PARTIE E — EXEMPTIONS (Règle 38)
### Règle 38
#### Exemptions

Tout navire (ou catégorie de navires) qui satisfait aux prescriptions des Règles internationales de 1960 pour prévenir les abordages en mer et dont la quille est posée, ou qui se trouve à un stade de construction équivalent, avant l'entrée en vigueur du présent Règlement, peut bénéficier des exemptions suivantes qui s'appliquent audit Règlement :

a) Installation des feux dont la portée lumineuse est prescrite par la règle 22 : quatre ans à compter de la date d'entrée en vigueur du présent Règlement.

b) Installation des feux dont les couleurs sont prescrites à la section 7 de l'Annexe I du présent Règlement : quatre ans à compter de la date d'entrée en vigueur du présent Règlement.

c) Changement de l'emplacement des feux résultant du passage des mesures britanniques au système métrique et de l'arrondissement des chiffres des mesures : exemption permanente.

d)　　i) Changement de l'emplacement des feux de tête de mât à bord des navires de longueur inférieure à 150 mètres, résultant des prescriptions de la section 3 a) de l'Annexe I du présent Règlement : exemption permanente.

ii) Changement de l'emplacement des feux de tête de mât à bord des navires de longueur égale ou supérieur à 150 mètres, résultant des prescriptions de la section 3 a) de l'Annexe I du présent Règlement : neuf ans à compter de la date d'entrée en vigueur du présent Règlement.

e) Changement de l'emplacement des feux de tête de mât résultant des prescriptions de la section 2 b) de l'Annexe I du présent Règlement : neuf ans à compter de la date d'entrée en vigueur du présent Règlement.

f) Changement de l'emplacement des feux de côté résultant des prescriptions des sections 2 g) et 3 b) de l'Annexe I du présent Règlement : neuf ans à compter de la date d'entrée en vigueur du présent Règlement.

g) Spécifications du matériel de signalisation sonore prescrites par l'annexe III du présent Règlement : neuf ans à compter de la date d'entrée en vigueur du présent Règlement.

h) Changement de l'emplacement des feux visibles sur tout l'horizon résultant des prescriptions de la section 9 b) de l'Annexe I du présent Règlement : exemption permanente.

# ANNEXE I
## EMPLACEMENT ET CARACTÉRISTIQUES TECHNIQUES
## DES FEUX ET MARQUES

**1. Définition**

L'expression "hauteur au-dessus du plat-bord" désigne la hauteur au-dessus du pont continu le plus élevé. Cette hauteur doit être mesurée à partir de l'endroit situé sous le feu à la verticale de celui-ci.

**2. Emplacement et espacement des feux sur le plan vertical**

a) A bord des navires à propulsion mécanique de longueur égale ou supérieure à 20 mètres, les feux de tête de mât doivent être disposés comme suit :

i) le feu de tête de mât avant ou, le cas échéant, le feu unique, doit se trouver à une hauteur de 6 mètres au moins au-dessus du plat-bord et, si la largeur du navire dépasse 6 mètres, à une hauteur au-dessus du plat-bord au moins égale à cette largeur, sans qu'il soit toutefois nécessaire que cette hauteur dépasse 12 mètres ;

ii) lorsqu'il existe deux feux de tête de mât, le feu arrière doit se trouver au moins 4,5 mètres plus haut que le feu avant.

b) La distance verticale entre les feux de tête de mât des navires à propulsion mécanique doit être telle que le feu arrière puisse toujours être vu distinctement au-dessus du feu avant, à une distance de 1000 mètres de l'avant du navire au niveau de la mer dans tous les conditions normales d'assiette.

c) Le feu de tête de mât d'un navire à propulsion mécanique de longueur égale ou supérieure à 12 mètres, mais inférieure à 20 mètres, doit se trouver à une hauteur de 2,5 mètres au moins au-dessus du plat-bord.

d) Un navire à propulsion mécanique de longueur inférieure à 12 mètres peut avoir son feu le plus élevé à une hauteur inférieure à 2,5 mètres au-dessus du plat-bord. Toutefois, lorsqu'il porte un feu de tête de mât en plus des feux de côté et du feu de poupe ou bien le feu visible sur tout l'horizon prescrit à la règle 23 c) i) en plus des feux de côté, ce feu de tête de mât ou ce feu visible sur tout l'horizon doit se trouver à 1 mètre au moins au-dessus des feux de côté.

e) L'un des deux ou trois feux de tête de mât prescrits pour un navire à propulsion mécanique qui remorque ou pousse un autre navire doit se trouver au même emplacement que le feu de tête de mât avant ou arrière, étant entendu que, si le feu inférieur de tête de mât arrière se trouve sur le mât arrière, il doit se trouver au moins 4,5 mètres plus haut que le feu de tête de mât avant.

f)    i) Le feu ou les feux de tête de mât prescrits par la règle 23 a) doivent être placés au-dessus et à bonne distance des autres feux et obstructions, à l'exception de ceux qui sont décrits à l'alinéa ii).

ii) Lorsqu'il n'est pas possible de placer au-dessous des feux de tête de mât les feux visibles sur tout l'horizon prescrits par la règle 27 b) i) ou par la règle 28, ces feux peuvent être placés au-dessous du feu ou des feux de tête de mât arrière ou, sur un plan vertical, entre le feu ou les feux de tête de mât avant et le feu ou les feux de tête de mât arrière à condition que, dans ce dernier cas, il soit satisfait aux prescriptions du paragraphe c) de la section 3 de la présente Annexe.

g) Les feux de côté d'un navire à propulsion mécanique doivent se trouver à une hauteur au-dessus du plat-bord ne dépassant pas les trois quarts de la hauteur du feu de tête de mât avant. Ils ne doivent pas être placés trop bas pour ne pas se confondre avec les lumières de pont.

h) Lorsqu'ils sont réunis en un fanal combiné et portés par un navire à propulsion mécanique de longueur inférieure à 20 mètres, les feux de côté doivent se trouver à 1 mètre au moins au-dessous du feu de tête de mât.

i) Lorsque les règles prescrivent deux ou trois feux superposés, ceux-ci doivent être espacés de la manière suivante :

i) A bord d'un navire de longueur égale ou supérieure à 20 mètres, ces feux doivent être espacés de 2 mètres au moins ; le feu inférieur doit se trouver à une hauteur de 4 mètres au moins au-dessus du plat-bord, sauf si le navire est tenu de porter un feu de remorquage.

ii) A bord d'un navire de longueur inférieure à 20 mètres, les feux doivent être espacés de 1 mètre au moins. Le feu inférieur doit se trouver à une hauteur de 2 mètres au moins au-dessus du plat-bord, sauf si le navire est tenu de porter un feu de remorquage.

iii) Lorsque trois feux sont portés, ils doivent être placés à intervalles réguliers.

j) Le feu le plus bas des deux feux visibles sur tout l'horizon prescrits pour les navires en train de pêcher doit se trouver à une hauteur au-dessus des feux de côté au moins égale à deux fois la distance qui sépare les deux feux verticaux.

k) Lorsque le navire porte deux feux de mouillage, le feu de mouillage avant prescrit par la règle 30 a) i) doit se trouver 4,5 mètres au moins plus haut que le feu arrière. A bord d'un navire de longueur égale ou supérieure à 50 mètres, le feu de mouillage avant doit se trouver à une hauteur de 6 mètres au moins au-dessus du plat-bord.

**3. Emplacement et espacement des feux sur le plan horizontal**
a) Lorsque deux feux de tête de mât sont prescrits pour un navire à propulsion mécanique, la distance horizontale qui les sépare doit être au moins égale à la moitié de la longueur du navire sans toutefois qu'il soit nécessaire que cette distance dépasse 100 mètres. Le feu avant ne doit pas être situé, par rapport à l'avant du navire, à une distance supérieure au quart de la longueur du navire.

b) A bord d'un navire à propulsion mécanique de longueur égale ou supérieure à 20 mètres, les feux de côté ne doivent pas se trouver sur l'avant des feux de tête de mât avant. Ils doivent se trouver sur le côté du navire ou à proximité de celui-ci.

c) Lorsque les feux prescrits par la règle 27 b) i) ou par la règle 28 sont placés, sur un plan vertical, entre le feu ou les feux de tête de mât avant et le feu ou les feux de tête de mât arrière, ces feux visibles sur tout l'horizon doivent se trouver à une distance horizontale de 2 mètres au moins de l'axe longitudinal du navire dans le sens transversal.

**4. Détails concernant l'emplacement des feux de direction pour les navires de pêche, les dragues et les navires effectuant des travaux sous-marins.**
a) Le feu de direction de l'engin déployé d'un navire en train de pêcher, prescrit par la règle 26 c) ii), doit être situé à une distance horizontale de 2 mètres au moins et de 6 mètres au plus des deux feux rouge et blanc visibles sur tout l'horizon. Ce feu doit être placé à une hauteur qui ne soit ni supérieure à celle du feu blanc visible sur tout l'horizon prescrit par la règle 26 c) i), ni inférieure à celle des feux de côté.

b) La distance horizontale entre les feux et marques indiquant à bord d'un navire en train de draguer ou d'effectuer des travaux sous-marins le côté obstrué et/ou le côté sur lequel on peut passer sans danger, tels que prescrits à la règle 27 d) i) et ii) et les feux et les marques prescrits à la règle 27 b) i) et ii), doit être aussi grande que possible et, en tout cas, d'au moins 2 mètres. Le plus élevé de ces feux ou marques ne doit en aucun cas être placé plus haut que le feu inférieur ou la marque inférieure faisant partie de la série des trois feux ou marques prescrits par la règle 27 b) i) et ii).

**5. Écrans des feux de côté**
Les feux de côté des navires de longueur égale ou supérieure à 20 mètres doivent être munis du côté du navire d'écrans peints en noir avec une peinture mate et être conformes aux prescriptions de la section 9 de la présente Annexe. A bord des navires de longueur inférieure à 20 mètres, les feux de côté, s'ils sont nécessaires pour satisfaire aux prescriptions de la section 9 de la présente Annexe doivent être munis, du côté du navire, d'écrans de couleur noire mate. Dans le cas d'un fanal combiné qui utiliser un filament vertical unique et une cloison très étroite entre le secteur vert et le secteur rouge, il n'est pas nécessaire de prévoir d'écrans extérieurs.

**6. Marques**
a) Les marques doivent être noires et avoir les dimensions suivantes :
i) une boule doit avoir au moins 0,6 mètre de diamètre ;
ii) un cône doit avoir un diamètre de base de 0,6 mètre au moins et une hauteur égale à son diamètre ;
iii) une marque cylindrique doit avoir un diamètre de 0,6 mètre au moins et une hauteur double de son diamètre ;
iv) un bicône se compose de deux cônes définis à l'alinéa ii) ci-dessus ayant une base commune.

b) La distance verticale entre les marques doit être d'au moins 1,5 mètre.

c) A bord d'un navire de longueur inférieure à 20 mètres, les marques peuvent avoir des dimensions inférieures, mais en rapport avec les dimensions du navire et la distance qui les sépare peut être réduite en conséquence.

**7. Couleur des feux**
La chromaticité de tous les feux de navigation doit être conforme aux normes suivantes, qui se situent dans les limites indiquées par le diagramme de chromaticité de la Commission internationale de l'éclairage (CIE).
Les limites de la zone des différentes couleurs sont données par les coordonnées des sommets des angles, qui sont les suivantes :

i)  Blanc
    x  0,525  0,525  0,452  0,310  0,310  0,443
    y  0,382  0,440  0,440  0,348  0,283  0,382
ii) Vert
    x  0,028  0,009  0,300  0,203
    y  0,385  0,723  0,511  0,356
iii) Rouge
    x  0,680  0,660  0,735  0,721
    y  0,320  0,320  0,265  0,259
iv) Jaune
    x  0,612  0,618  0,575  0,575
    y  0,382  0,382  0,425  0,406

## 8. Intensité des feux

a) L'intensité des feux doit être calculée à l'aide de la formule :

$$I = 3,43 \times 10^6 \times T \times D^2 \times K^{-D}$$

où  I = Intensité lumineuse en candelas dans les conditions de service
    T = Seuil d'éclairement $2 \times 10^{-7}$ lux
    D = Distance de visibilité (portée lumineuse) du feu en milles marins.
    K = Coefficient de transmission atmosphérique. Pour les feux prescrits, K est égal à 0,8 ce qui correspond à une visibilité météorologique d'environ 13 milles marins.

b) Le tableau suivant présente quelques valeurs obtenues à l'aide de cette formule

| Distance de visibilité (portée lumineuse) du feu exprimée en milles D | Intensité lumineuse du feu exprimée en candelas pour K = 0,8 I |
|---|---|
| 1 | 0,9 |
| 2 | 4,3 |
| 3 | 12 |
| 4 | 27 |
| 5 | 52 |
| 6 | 94 |

*Note :* L'intensité lumineuse maximale des feux de navigation devrait être limitée de manière à éviter des reflets gênants. Cette limitation de l'intensité lumineuse ne doit pas être obtenue au moyen d'une commande variable.

## 9. Secteurs horizontaux de visibilité

a) i) Les feux de côté doivent, une fois installés à bord, avoir vers l'avant les intensités minimales requises. Les intensités doivent diminuer jusqu'à devenir pratiquement nulles entre 1 et 3 degrés en dehors des secteurs prescrits.

ii) Pour les feux de poupe et les feux de tête de mât ainsi que pour les feux de côté à la limite du secteur de visibilité située à 22,5 degrés sur l'arrière du travers, les intensités minimales requises doivent être maintenues sur l'arc d'horizon des secteurs prescrits par la règle 21, jusqu'à 5 degrés à l'intérieur de ces secteurs. A partir de 5 degrés à l'intérieur des secteurs prescrits, l'intensité peut diminuer à concurrence de 50 pour cent jusqu'aux limites de secteurs prescrites ; puis elle doit diminuer constamment jusqu'à devenir pratiquement nulle à 5 degrés au plus en dehors des secteurs prescrits.

b) A l'exception des feux de mouillage prescrits à la règle 30 qu'il n'est pas nécessaire de placer trop haut au-dessus du plat-bord, les feux visibles sur tout l'horizon doivent être placés de manière à ne pas être cachés par des mâts, des mâts de hune ou toutes autres structures sur des secteurs angulaires supérieurs à 6 degrés.

## 10. Secteurs verticaux de visibilité

a) Les secteurs verticaux de visibilité des feux électriques une fois installés à l'exception des feux installés à bord des navires à voile faisant route, doivent être de nature à maintenir :

i) au moins l'intensité minimale requise de 5 degrés au-dessus du plan horizontal à 5 degrés au-dessous de ce plan ;

ii) au moins 60 pour cent de l'intensité minimale requise de 7,5 degrés au-dessus du plan horizontal à 7,5 degrés au-dessous de ce plan.

b) Dans le cas des navires à voile faisant route, les secteurs verticaux de visibilité des feux électriques une fois installés doivent être de nature à maintenir :

i) au moins l'intensité minimale requise de 5 degrés au-dessus du plan horizontal à 5 degrés au-dessous de ce plan ;

ii) au moins 50 pour cent de l'intensité minimale requise de 25 degrés au-dessus du plan horizontal à 25 degrés au-dessous de ce plan.

c) Pour les feux autres qu'électriques, ces spécifications doivent être observées d'aussi près que possible.

**11. Intensité des feux non électriques**

Les feux non électriques doivent avoir autant que possible les intensités minimales spécifiées au tableau de la section 8 de la présente Annexe.

**12. Feux de manœuvre**

Nonobstant les dispositions de la section 2 f) de la présente Annexe, le feu de manœuvre décrit à la règle 34 b) doit être situé dans le même plan axial que le feu ou les feux de tête de mât et, lorsque cela est possible, à une distance verticale de 2 mètres au moins au-dessus du feu de tête de mât avant, à condition d'être porté à une distance verticale d'au moins 2 mètres au-dessus ou au-dessous du feu de tête de mât arrière. S'il n'y a qu'un seul feu de tête de mât, le feu de manœuvre, s'il existe, doit être installé à l'endroit le plus visible, à une distance verticale d'au moins deux mètres du feu de tête de mât.

**13. Agrément**

La construction des feux et des marques et l'installation des feux à bord doivent être jugées satisfaisantes par l'autorité compétente de l'État dont le navire est autorisé à battre le pavillon.

**ANNEXE II**
**SIGNAUX SUPPLÉMENTAIRES DES NAVIRES DE PÊCHE**
**PÊCHANT À PROXIMITÉ LES UNS DES AUTRES**

**1. Généralités**

Les feux mentionnés dans la présente Annexe doivent, s'ils sont montrés en application des dispositions de la règle 26 d), être placés à l'endroit le plus visible, à 0,9 mètre au moins les uns des autres et plus bas que les feux prescrits par la règle 26 b) i) et c) i). Ils doivent être visibles sur tout l'horizon à une distance d'un mille au moins, mais cette distance doit être inférieure à la portée des feux prescrits par les présentes Règles pour les navires de pêche.

**2. Signaux pour chalutiers**

a) Les navires en train de chaluter au moyen d'un chalut ou de tout autre appareil immergé peuvent montrer :

i) lorsqu'ils jettent leurs filets : deux feux blancs superposés ;

ii) lorsqu'ils halent leurs filets : un feu blanc placé à la verticale au-dessus d'un feu rouge ;

iii) lorsque leurs filets sont retenus par un obstacle : deux feux rouges superposés.

b) Les navires en train de chaluter à deux peuvent montrer :

i) de nuit, un projecteur dirigé vers l'avant et en direction de l'autre navire faisant partie de l'équipe de chalutage à deux ;

ii) lorsqu'ils jettent ou halent leurs filets ou lorsque leurs filets demeurent retenus par un obstacle, les feux prescrits par la section 2 a) ci-dessus.

**3. Signaux pour navires pêchant à la grande seine**

Les navires en train de pêcher à la grande seine peuvent montrer deux feux jaunes superposés. Ceux-ci doivent s'allumer alternativement toutes les secondes, avec des durées de lumière et d'obscurité égales. Ils ne peuvent être montrés que lorsque le navire est gêné par ses appareaux de pêche.

**ANNEXE III**
**CARACTÉRISTIQUES TECHNIQUES DU MATÉRIEL**
**DE SIGNALISATION SONORE**

**1. Sifflets**

*a) Fréquence et portée sonore*

La fréquence fondamentale du signal doit être comprise entre 70 et 700 Hz.

La portée sonore du signal d'un sifflet est déterminée par les fréquences, qui peuvent comprendre la fréquence fondamentale, une ou plusieurs fréquences plus élevées, situées entre 180 et 700 Hz (± 1 pour cent) et fournissant les niveaux de pression acoustique spécifiés à la section 1 c) ci-dessous.

*b) Limites des fréquences fondamentales*

Afin de garantir une grande variété dans les caractéristiques des sifflets, la fréquence fondamentale d'un sifflet doit être comprise entre les limites suivantes :

i) entre 70 et 200 Hz à bord d'un navire de longueur égale ou supérieure à 200 mètres ;

ii) entre 130 et 350 Hz à bord d'un navire de longueur égale ou supérieure à 75 mètres, mais inférieure à 200 mètres ;

iii) entre 250 et 700 Hz à bord d'un navire de longueur inférieure à 75 mètres.

*c) Intensité du signal et portée sonore*

Un sifflet installé à bord d'un navire doit assurer dans la direction de son intensité maximale, à une distance de 1 mètre et dans au moins une bande d'un tiers d'octave située dans la gamme des fréquences 180 à 700 Hz (± 1 pour cent), un niveau de pression acoustique au moins égal à la valeur appropriée du tableau ci-après.

| Longueur du navire en mètres | Niveau de pression acoustique à un mètre en décibels, référence de 2 x $10^{-5}$ N/m2 (bandes d'un tiers d'octave) | Portée sonore en milles marins |
|---|---|---|
| 200 et plus | 143 | 2 |
| 75 et plus mais moins de 200 | 138 | 1,5 |
| 20 et plus mais moins de 75 | 130 | 1 |
| moins de 20 | 120 | 0,5 |

La portée sonore a été indiquée dans ce tableau à titre d'information. Elle correspond approximativement à la distance à laquelle un sifflet peut être entendu sur son axe avant avec une probabilité de 90 pour cent en air calme, à bord d'un navire où le niveau du bruit de fond aux postes d'écoute est moyen (soit 68 dB dans la bande d'octave centrée sur la fréquence 250 Hz et à 63 dB dans la bande d'octave centrée sur 500 Hz).

Dans la pratique, la distance à laquelle un sifflet peut être entendu est très variable et dépend beaucoup des conditions météorologiques. Les valeurs indiquées peuvent être considérées comme caractéristiques mais, en cas de vent violent ou lorsque le niveau du bruit aux postes d'écoute est élevé, la portée sonore peut être très réduite.

d) *Caractéristiques directionnelles*

Dans toutes directions du plan horizontal comprises dans un secteur de ± 45 degrés par rapport à l'axe, le niveau de pression acoustique d'un sifflet directionnel ne doit pas être inférieur de plus de 4 dB au niveau de pression acoustique prescrit sur l'axe. Dans toute autre direction du plan horizontal, le niveau de pression acoustique ne doit pas être inférieur de plus de 10 dB au niveau de la pression acoustique prescrit sur l'axe, de manière que la portée dans toute direction soit égale à la moitié au moins de la portée sur l'axe. Le niveau de pression acoustique doit être mesuré dans la bande d'un tiers d'octave qui produit la portée sonore.

e) *Emplacements des sifflets*

Lorsqu'un sifflet directionnel est utilisé comme sifflet unique à bord d'un navire, il doit être installé de manière à produire son intensité maximale vers l'avant du navire.

Les sifflets doivent être placés aussi haut que possible à bord du navire pour réduire l'interception, par des obstacles, des sons émis et pour réduire le plus possible les risques de troubles de l'ouïe chez les membres de l'équipage. Le niveau de pression acoustique du propre signal du navire ne doit pas dépasser 110 dB (A) aux postes d'écoute et ne devrait pas, autant que possible, dépasser 100 dB (A).

f) *Installation de plusieurs sifflets*

Si des sifflets sont installés à plus de 100 mètres les uns des autres, ils doivent être montés de manière à ne pas être actionnés simultanément.

g) *Ensemble de sifflets*

Si, en raison de la présence d'obstacles, le champ acoustique d'un seul sifflet ou de l'un des sifflets mentionnés au paragraphe f) ci-dessus risque de présenter une zone où le niveau acoustique du signal est sensiblement réduit, il est recommandé d'utiliser un ensemble de sifflets installés de manière à éviter cette réduction du niveau acoustique. Aux fins des Règles, un ensemble de sifflets est considéré comme sifflet unique. Les sifflets d'un tel ensemble ne doivent pas être situés à plus de 100 mètres les uns des autres et doivent être montés de manière à pouvoir être actionnés simultanément. Leurs fréquences doivent différer les unes des autres d'au moins 10 Hz.

**2. Cloche ou gong**

a) *Intensité du signal*

Une cloche, un gong ou tout autre dispositif ayant des caractéristiques acoustiques semblables doivent assurer un niveau de pression acoustique d'au moins 110 dB à une distance de un mètre de ce matériel.

b) *Construction*

Les cloches et les gongs doivent être construits en un matériau résistant à la corrosion et conçus de manière à émettre un son clair. Le diamètre de l'ouverture de la cloche ne doit pas être inférieur à 300 millimètres sur les navires de longueur égale ou supérieure à 20 mètres et à 200 millimètres sur les navires de longueur égale ou supérieure à 12 mètres mais inférieure à 20 mètres. Lorsque cela est possible, il est recommandé d'installer un battant de cloche à commande mécanique, de manière à garantir une force d'impact constante, mais il doit être possible de l'actionner à la main. La masse du battant ne doit pas être inférieure à 3 pour cent de celle de la cloche.

**3. Agrément**

La construction et le fonctionnement du matériel de signalisation sonore ainsi que son installation à bord du navire doivent être jugés satisfaisants par l'autorité compétente de l'État dont le navire est autorisé à battre le pavillon.

# ANNEXE IV
## SIGNAUX DE DÉTRESSE

Les signaux suivants, utilisés ou montrés ensemble ou séparément, traduisent la détresse et le besoin de secours :

a) coup de canon ou autres signaux explosifs tirés à des intervalles d'une minute environ ;

b) son continu produit par un appareil quelconque pour signaux de brume ;

c) fusées ou bombes projetant des étoiles rouges lancées une à une à de courts intervalles ;

d) signal émis par radiotélégraphie ou par tout autre système de signalisation, se composant du groupe ●●●■■ ■■ ■■●●● (S.O.S.) du code Morse ;

e) signal radiotéléphonique consistant dans le mot "Mayday" ;

f) signal de détresse N.C. du Code international de signaux ;

g) signal consistant en un pavillon carré ayant, au-dessus ou en dessous, une boule ou un objet analogue ;

h) flammes sur le navire (telles qu'on peut en produire en brûlant un baril de goudron, un baril d'huiles, etc...) ;

i) fusée à parachute ou feu à main produisant une lumière rouge ;

j) signal fumigène produisant une fumée de couleur orange ;

k) mouvements lents et répétés de haut en bas des bras étendus de chaque côté ;

l) signal d'alarme radiotélégraphique ;

m) signal d'alarme radiotéléphonique ;

n) signaux transmis par les radiobalises de localisation des sinistres ;

o) signaux approuvés transmis par des systèmes de radiocommunications.

Est interdit l'usage de l'un quelconque des signaux ci-dessus, sauf dans le but d'indiquer un cas de détresse ou un besoin de secours, ainsi que l'usage d'autres signaux susceptibles d'être confondus avec l'un des signaux ci-dessus.

Il convient de prêter attention aux chapitres pertinents du Code international de signaux, au Manuel de recherche et de sauvetage à l'usage des navires de commerce et aux signaux suivants :

a) morceau de toile de couleur orange soit avec un carré et un cercle de couleur noire soit avec un autre symbole approprié (pour repérage aérien) ;

b) colorant.

# Annexe « H »
# Demande d'inscription au permis mer

République Française

**Secrétariat d'Etat à la Mer**

## DEMANDE D'INSCRIPTION

☐ **Permis Mer** ①

☐ **Extension au Permis Mer** ②

- Décret n° 92-1166 du 21 octobre 1992 relatif à la conduite en mer des navires de plaisance à moteur.
- Arrêté du 23 décembre 1992 relatif aux examens pour l'obtention de la carte mer et du permis mer.

(Eventuellement, date de la session d'examen souhaitée :                    )

NOM : M., Mme, Mlle (en capitales - suivi du nom d'époux s'il y a lieu)

PRENOMS : (au complet dans l'ordre de l'état-civil)

Né(e) le   Jour   Mois   Année

Commune (pour les grandes villes n° d'arrondissement)

Département

Pour l'étranger : pays - Pour l'outre-mer : territoire

ADRESSE : N° - Rue

Code Postal   Commune

## COMPOSITION DU DOSSIER D'INSCRIPTION

**①**
- la présente demande signée
- une photographie d'identité récente
- timbres fiscaux correspondant au droit d'inscription
- timbres fiscaux correspondant au droit de délivrance
- une fiche individuelle d'état-civil ou une photocopie d'une pièce d'identité
- un certificat médical de moins de 6 mois d'un modèle réglementaire
- deux enveloppes timbrées à l'adresse du candidat (dans le cas où la demande n'est pas présentée par un centre d'examen)

**②**
POUR LES CANDIDATS DEJA TITULAIRES DU PERMIS A :

- la présente demande signée
- une photographie d'identité récente
- timbres fiscaux correspondants au droit d'inscription
- l'original du permis A
- deux enveloppes timbrées à l'adresse du candidat (dans le cas où la demande n'est pas présentée par un centre d'examen)

Je soussigné(e), candidat(e), déclare sur l'honneur que les renseignements de la présente demande sont exacts.

A                    , le

Signature

La loi n° 78-17 du 6 janvier 1978 relative à l'informatique, aux fichiers et aux libertés s'applique aux réponses faites à ce formulaire par les personnes physiques. Elle garantit un droit d'accès et de rectification pour les données vous concernant auprès du Bureau de la plaisance du Secrétariat d'Etat à la Mer ou des quartiers des Affaires Maritimes, selon le service où la demande a été déposée.

Timbres fiscaux (à coller)

Timbres fiscaux (à coller)

DROIT D'INSCRIPTION

DROIT DE DELIVRANCE
(sauf pour l'extension au permis Mer)

CAAM-01.93.06

# Annexe « I »
## Certificat d'aptitude physique

République Française

# Certificat d'aptitude physique des candidats au permis Mer

(Décret n° 92-1166 du 21 octobre 1992, arrêté du 23 décembre 1992)

**A établir six mois au plus avant la date de l'examen.**

Il est important que le candidat et le médecin consultant prennent connaissance des dispositions réglementaires figurant au verso de cet imprimé.

*réservé au médecin consultant*

Je soussigné(e), docteur en médecine,

.....................................................................

.....................................................................

certifie avoir examiné ce jour

M. ................................................................

candidat(e) au permis Mer.

Je déclare que l'intéressé(e) :

☐ satisfait

    ☐ ne satisfait pas

        ☐ satisfait sous réserve(s)

Cocher ci-dessous les réserves éventuelles qui seront reportées sur le permis :

☐ **1.** Port d'une correction optique et paire de verres correcteurs de rechange.

☐ **2.** Port d'une prothèse auditive.

☐ **3.** Port d'une prothèse de membre fonctionnellement satisfaisante.

☐ **4.** Adaptation du système de commande du moteur et de la barre pour les handicaps du membre supérieur.

☐ **5.** Nécessité d'être accompagné d'une tierce personne.

Fait à ........................................................

le ...............................................................

Signature et cachet du médecin consultant

*réservé au candidat*

M ☐     Mᵐᵉ ☐     Mˡˡᵉ ☐

.....................................................................

Prénom ........................................................

Né(e) le ........................................................

à ...................................................................

demeurant à .................................................

.....................................................................

déclare avoir pris connaissance des dispositions réglementaires concernant les conditions d'aptitude physique requises pour se présenter à l'examen du permis Mer ;

s'engage à respecter les prescriptions particulières qui seront reportées sur le permis, dans le cas d'une aptitude physique satisfaisante sous réserve(s).

Fait à ..........................................................

le ...............................................................

Signature du candidat

*Le cas échéant, décision finale du médecin des gens de mer (voir au verso, alinéa 9)*

CAAM-05.93.01

# Annexe II de l'arrêté du 23 décembre 1992 relatif aux examens pour l'obtention de la carte Mer et du permis Mer

## Conditions d'aptitude physique pour le permis Mer

Les conditions d'aptitude physique requises pour pouvoir se présenter à l'examen du permis Mer sont les suivantes :

**1 - Acuité visuelle minimale sans correction ou avec correction** : 6/10 d'un oeil et 4/10 de l'autre ou 5/10 de chaque oeil ;

Verres correcteurs admis, sous réserve :
- de verres organiques ;
- d'un système d'attache de lunettes ;
- d'une deuxième paire de lunettes de rechange à bord.

Lentilles précornéennes admises sous réserve :
- de port de verres protecteurs neutres par-dessus les lentilles, pour engins découverts ;
- d'une paire de verres correcteurs de rechange à bord.

Les borgnes et les amblyopes unilatéraux peuvent être autorisés à conduire les navires de plaisance, sous réserve d'un minimum d'acuité visuelle de l'oeil sain de 8/10 sans ou avec correction. Les sujets présentant cette acuité visuelle sans correction devront porter des verres protecteurs neutres sur les engins découverts.

Pour les borgnes, le permis ne pourra être délivré qu'un an après la perte de l'oeil.

**2 - Champ visuel périphérique** : normal.
Pour les borgnes et les amblyopes, contrôle à l'appareil de Goldmann obligatoire.

**3 - Sens chromatique** : satisfaisant.
Les sujets faisant des erreurs au test d'Ishihara devront obligatoirement subir un examen à la lanterne de Beyne.

**4 - Acuité auditive minimale** :
- voix chuchotée perçue à 0,50 mètre de chaque oreille ;
- voix haute à 5 mètres de chaque oreille ;
- prothèse auditive tolérée.

**5 - Membres supérieurs** :
Les fonctions de préhension des membres supérieurs nécessaires au pilotage du navire doivent être satisfaisantes.
En cas d'infirmité ou d'amputation de l'un des membres supérieurs, le candidat pourra néanmoins être déclaré apte s'il est porteur d'une prothèse fonctionnellement satisfaisante et si des modifications adéquates ont été apportées au système de commande du moteur et de la barre.

**6 - Membres inférieurs** :
Intégrité fonctionnelle des deux membres inférieurs ou intégrité de l'un des membres et appareillage mécanique satisfaisant de l'autre.
Au cas où ces conditions ne seraient pas remplies, le candidat sera néanmoins autorisé à se présenter à l'examen du permis ; en cas de succès, il ne pourra embarquer seul et devra être accompagné d'une tierce personne âgée d'au moins seize ans, présentant les conditions d'aptitude physique sans restriction. Il n'est pas nécessaire que cette tierce personne soit elle-même titulaire du permis de conduire.

**7 - Etat neuropsychiatrique et cardio-vasculaire** : satisfaisant.

**8 -** D'une manière générale, toute affection faisant courir le risque d'une perte brutale de connaissance entraînera l'inaptitude.
Toutefois, les affections parfaitement bien contrôlées par le traitement, en particulier le diabète et la comitialité, pourront être tolérées. Elles feront l'objet d'un examen approfondi avant la délivrance du certificat.

**9 -** En cas de difficulté ou de contestation d'ordre médical, le médecin des gens de mer statue en dernier ressort, après avoir procédé ou fait procéder, aux frais du candidat, à tous les examens qu'il juge nécessaires.

# Annexe « J »
# Demande de duplicata de permis mer

## DEMANDE DE DUPLICATA
## D'UN TITRE DE CONDUITE EN MER DES NAVIRES DE PLAISANCE A MOTEUR
### (titres de conduite en mer exclusivement)

NOM : M., Mme, Mlle (en capitales - suivi du nom d'époux s'il y a lieu)

PRENOMS : (au complet dans l'ordre de l'état-civil)

Né(e) le ⎿Jour⏌ ⎿Mois⏌ ⎿Année⏌

Commune (pour les grandes villes n° d'arrondissement)

Département

Pour l'étranger : pays - Pour l'outre-mer : territoire

ADRESSE : N° - Rue

Code Postal    Commune

### PERMIS DONT VOUS ETES TITULAIRE

☐ Permis délivré avant le 15 mars 1966

☐ Permis A          ☐ Permis B          ☐ Permis C

☐ Carte Mer         ☐ Carte Mer navigation de nuit

☐ Permis Mer        ☐ Permis Mer Côtier          ☐ Permis Mer hauturier

Le permis dont vous êtes titulaire vous a été délivré :
☐ après examen          ☐ par équivalence avec un titre professionnel

### RENSEIGNEMENTS COMPLEMENTAIRES (Permis délivrés avant le 01/01/1993)

Numéro du permis :

Date et lieu d'examen (centre, bateau-école, association) : _____

A défaut, autres renseignements permettant d'identifier votre permis : _____

A                              , le

Signature

*(Avant de remplir cette demande, lire attentivement les informations au verso)*

# DEMANDE DE DUPLICATA
## D'UN TITRE DE CONDUITE EN MER DES NAVIRES DE PLAISANCE A MOTEUR
*ATTENTION : Cette demande ne concerne que les titres de conduite en EAUX MARITIMES.*

### IDENTIFICATION DU PERMIS

Il convient de bien identifier le permis dont vous êtes titulaire. En effet, selon la date de son obtention, la dénomination, les prérogatives et la présentation (taille, couleur) du permis sont différentes :

**AVANT LE 15 MARS 1966 :**
Permis de couleur rouge, s'ouvrant en deux *horizontalement* et reconnu équivalent au permis B.

**DU 15 MARS 1966 AU 31 DECEMBRE 1992 :**
Permis A, B ou C, de couleur orange clair ou foncé, à trois volets.

**DEPUIS LE 1er JANVIER 1993 :**
Titre de couleur blanche, plastifié :
◊ Carte Mer ou Carte Mer spéciale navigation de nuit.
◊ Permis Mer, Permis Mer Côtier ou Permis Mer Hauturier.

### OU ADRESSER VOTRE DEMANDE

Vous devez adresser la présente demande à l'autorité qui vous a délivré le titre de conduite :
◊ soit le **Quartier des Affaires Maritimes** concerné (permis passés sur le littoral, y compris DOM/TOM).
◊ soit le **Bureau de la Navigation de Plaisance**, 3 place de Fontenoy, 75700 PARIS (permis passés en Ile-de-France, en province hors littoral, dans les centres ouverts à l'étranger).

Pour les titres délivrés **depuis le 1er janvier 1993** (sur support plastifié de couleur blanche), vous pouvez également adresser votre demande au **Centre Administratif des Affaires maritimes**, service des permis plaisance, 27 Quai Solidor, 35408 SAINT-MALO CEDEX.

Les titulaires de plusieurs permis délivrés avant le 31 décembre 1992 par des autorités différentes (ex. : Permis A et Permis B délivrés par des quartiers des Affaires Maritimes différents) doivent adresser leur demande à l'autorité qui a délivré le premier permis.

### COMPOSITION DE DOSSIER DE DEMANDE DE DUPLICATA

◊ la présente demande signée
◊ une déclaration de vol (déclaration officielle établie au commissariat de police ou à la gendarmerie) ou en cas de perte, une déclaration sur l'honneur
◊ timbres fiscaux correspondant au droit de délivrance :
◊ une photocopie d'une pièce d'identité récente, ou à défaut une fiche individuelle d'état-civil
◊ une photographie d'identité récente
◊ une enveloppe timbrée à l'adresse du demandeur
◊ *éventuellement*, pour les permis délivrés avant le 1er janvier 1993, une photocopie du permis.

Envoi aux particuliers

# BON DE COMMANDE

valable jusqu'au 31.12.95 seulement
à adresser aux ÉDITIONS DU PLAISANCIER
BP 27 - 69641 CALUIRE CEDEX - Tél. 78 23 31 14
avec le règlement correspondant

## VOIR INSTRUCTIONS AU VERSO

**Pour limiter les frais de port
AVANT DE PASSER VOTRE COMMANDE
demandez-nous l'adresse du POINT LIBRAIRIE VAGNON
le plus proche de votre domicile**

| Quantités | Titres | Prix T.T.C. unitaire. Frais d'envoi | Total |
|---|---|---|---|
| | **CARTE MER ET PERMIS MER** | | |
| ……… | Vagnon carte mer……………………………………………. | 89 F | …… |
| | Code Vagnon de la mer : | | |
| ……… | Vol. 1 Permis côtier …………………………………… | 98 F | …… |
| ……… | Vol. 2 Epreuve de navigation du Permis hauturier ……… | 105 F | …… |
| ……… | Feux des navires et règles de barre …………………………. | 112 F | …… |
| ……… | Livre de tests Vagnon côtier………………………………. | 97 F | …… |
| ……… | Problèmes de cartes (sur la carte marine d'examen 7033) … | 103 F | …… |
| ……… | Naviguer avec la marée (avec 52 problèmes de marée) …… | 103 F | …… |
| ……… | Logiciel Tests Vagnon Mer (Carte mer et côtier). | | |
| | PC WINDOWS ………………………………………… | 179 F | …… |
| ……… | Carte marine d'examen 7033 …………………………… | 132 F | …… |
| ……… | Carte marine d'examen 7033 (pliée) …………………… | 119 F | …… |
| ……… | Annuaire des marées 1995 ……………………………… | 69 F | …… |
| ……… | Règle Jean Cras bicolore ………………………………… | 118 F | …… |
| ……… | Rapporteur breton…………………………………………. | 192 F | …… |
| ……… | Compas à pointes sèches, droit ………………………… | 152 F | …… |
| ……… | Compas à pointes sèches, type marine …………………… | 178 F | …… |
| ……… | Code Vagnon du secourisme en mer …………………… | 109 F | …… |
| | **CERTIFICATS DE CAPACITÉ RIVIERE** | | |
| ……… | Code Vagnon fluvial ……………………………………… | 99 F | …… |
| ……… | Vagnon Carte de plaisance ……………………………… | 84 F | …… |
| ……… | Livre de tests Vagnon "Rivière" ………………………… | 97 F | …… |
| | **CERTIFICAT RESTREINT DE RADIOTÉLÉPHONISTE** | | |
| ……… | Code Vagnon de la V.H.F. (et B.L.U.)……………………. | 89 F | …… |
| | **NAUTI PRATIQUE** | | |
| ……… | Et vogue la cambuse (guide de la cuisine à bord) ………… | 119 F | …… |
| | **VOILE** | | |
| | Code Vagnon de la voile : | | |
| ……… | Junior …………………………………………………… | 108 F | …… |
| ……… | Le dériveur …………………………………………… | 108 F | …… |
| ……… | Planche à voile et fun-board…………………………………. | 108 F | …… |
| ……… | Le catamaran de sport ……………………………………. | 108 F | …… |
| ……… | L'habitable - Conduite et manœuvres ……………………… | 108 F | …… |
| ……… | Croisière côtière ………………………………………… | 108 F | …… |
| ……… | Croisière hauturière ……………………………………… | 108 F | …… |
| | Code Vagnon de la régate | | |
| ……… | Règles de course IYRU illustrées 93-96 ………………… | 169 F | …… |
| | **TOTAL** à reporter au verso | | …… |

| | | | |
|---|---|---|---|
| | Report du total du recto | | |

**PLONGÉE**

*Code Vagnon de la plongée :*

| | | | |
|---|---|---|---|
| ........ | - Préparation aux brevets Niveau 1 .......................... | 119 F | ...... |
| ........ | - Préparation aux brevets Niveau 2 .......................... | 151 F | ...... |
| ........ | - Tests Vagnon Plongée niveau 1 et 2 ...................... | 89 F | ...... |
| ........ | - Mémento Vagnon des premiers secours en plongée ........ | 69 F | ...... |
| ........ | - Plongée et Secourisme ...................................... | 179 F | ...... |
| ........ | - Carte individuelle d'identification plastifiée (format 172 x 54) | 45 F | ...... |

*Vidéo "La Plongée pour tous" (compléments vidéo des Codes Vagnon de la plongée) :*

| | | | |
|---|---|---|---|
| ........ | - Préparation aux brevets Niveau 1 .......................... | 199 F | ...... |
| ........ | - Préparation aux brevets Niveau 2 .......................... | 199 F | ...... |
| ........ | - Découverte et Baptême de Plongée ......................... | 169 F | ...... |

**CANOË-KAYAK ET SPORTS D'EAUX VIVES**

| | | | |
|---|---|---|---|
| ........ | Code Vagnon du Canoë-kayak................................. | 119 F | ...... |

**LES GUIDES VAGNON DE TOURISME FLUVIAL**

| | | | |
|---|---|---|---|
| ........ | 1. Mini-Atlas et Carte de France des voies navigables........ | 119 F | ...... |
| ........ | 2. Doubs et Canal du Rhône au Rhin ........................ | 149 F | ...... |
| ........ | 5. Rhône, de Lyon à la mer .................................. | 137 F | ...... |
| ........ | 6. Saône et Seille ............................................. | 137 F | ...... |
| ........ | 7. Canaux du Midi et Canal du Rhône à Sète ................ | 137 F | ...... |
| ........ | 8. Meuse et Canal de l'Est ................................... | 137 F | ...... |

**RÉCITS ET ROMANS**

| | | | |
|---|---|---|---|
| ........ | "Eclats d'Océans" de D. Romatet ........................... | 149 F | ...... |
| ........ | "Ton Rhône est un mirage" de H. Vagnon ................... | 129 F | ...... |

**PLANCHES AUTOCOLLANTES**

| | | | |
|---|---|---|---|
| ........ | Signaux fluviaux ............................................. | 30 F | ...... |
| ........ | Balisage région A et balisage des plages .................... | 30 F | ...... |
| ........ | Feux et marques des navires.................................. | 30 F | ...... |
| ........ | Signaux de détresse .......................................... | 30 F | ...... |
| ........ | 147 étiquettes pour marquer les organes du bateau ........... | 30 F | ...... |

**Déduire du total :**                                                 Total       ......

- 10 F pour une commande de 3 ou 4 ouvrages                                    ......
- 30 F pour une commande de 5 ouvrages                                         ......
- 60 F pour une commande de 6 ouvrages et plus                                 ......

Nom : ...................................................................   NET : ....................
Adresse : ...............................................................
.........................................................................   ❏ par chèque bancaire
.........................................................................   ci-joint
.........................................................................   ❏ par virement postal
.........................................................................   ci-joint

◀ A détac
selon le po

Les prix figurant sur ce bon de commande sont ceux de nos ouvrage expédiés directement aux particuliers sur leur demande. Ils sont basés sur les tarifs postaux en rigueur.
Le règlement s'effectue obligatoirement à la commande et il ne peut être donné suite à toute commande non accompagnée de son règlement.
L'expédition est faite par les P.T.T. le jour même ou le lendemain de la réception du règlement. Une facture acquittée est jointe à l'envoi.
Tenir compte des délais d'acheminement des P.T.T. qui peuvent facilement atteindre maintenant 4 ou 5 jours pour une lettre ou un paquet.
Nos marchandises voyagent aux risques et périls du destinataire.

**LIBRAIRES, REVENDEURS, BATEAUX-ÉCOLES, CLUBS, ASSOCIATIONS, GROUPEMENTS** : Ne pas utiliser ce bon mais nous demander votre bon de commande spécial qui vous sera adressé par retour de courrier.